신개념 스포츠지도사 문제집 2023

시험 대비

운동역학

단원별 출제빈도 분석

단원	2015(전문)	2015(생활)	2016	2017	2018	2019	2020	2021	2022	누계(개)	출제율(%)
제1장 운동역학의 개요	2	3	4	2	2	2		1	1	17	9
제2장 운동역학의 이해	2	3	2	1	2	3	3	3	1	20	11
제3장 인체역학	2	3	1	2	2	1	1	4	2	18	10
제4장 운동학의 스포츠 적용	6	3	6	4	4	4	8	2	4	42	23
제5장 운동역학의 스포츠 적용	3	3	3	5	7	4	3	5	6	39	22
제6장 일과 에너지	3	3	2	3	2	2	2	3	3	23	13
제7장 운동기술의 분석	2	2	2	3	1	3	3	2	3	21	12
합계	20	20	20	20	20	20	20	20	20	180	100

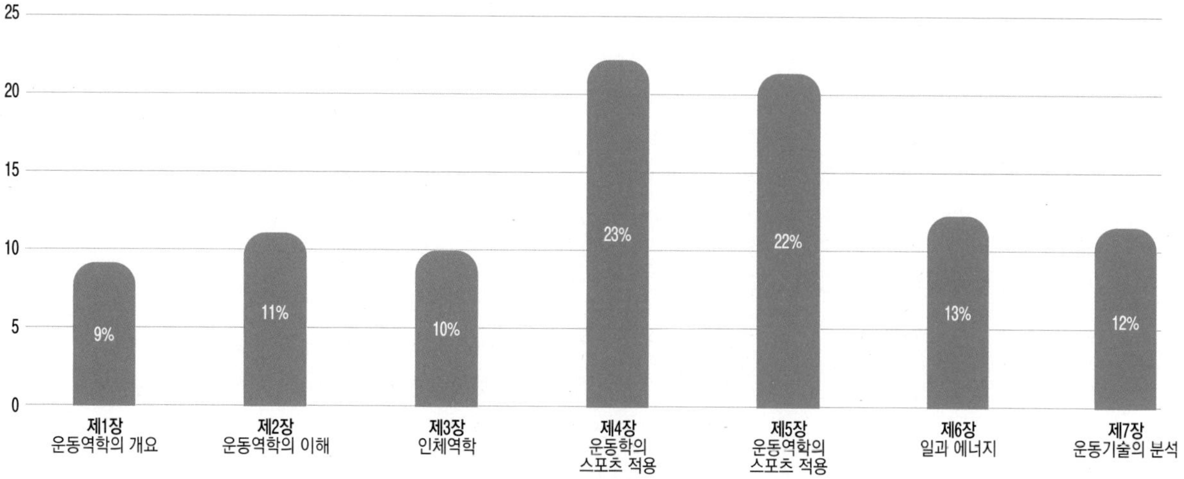

단원별 출제비율 그래프

01 Chapter 운동역학의 개요

☞ 운동역학의 영어 명칭은 sports biomechanics이고, 우리말 명칭은 스포츠생체역학이다.

운동역학의 정의

☞ 운동수행을 더 잘 이해하기 위하여 물리학의 법칙을 인간의 운동수행에 적용하는 스포츠과학의 한 분야이다.

☞ 인간의 움직임을 설명하고, 분석하고, 평가하는 학제 간 학문(여러 학문이 섞여서 만들어진 종합학문, interdisciplinary studies)이다.

☞ 운동수행능력을 향상시키기 위하여 인체의 움직임과 기술을 연구하는 학문이다.

☞ 살아 있는 유기체의 구조와 기능에 역학적인 기술과 원리를 적용시키는 학문이다.

운동역학의 연구 목적

☞ 운동기술의 분석 및 개발

☞ 운동상해의 예방

☞ 운동용기구의 개발 및 평가

☞ 운동역학 연구방법의 개발

☞ 측정방법 및 측정기구의 개발

운동역학의 연구방법

☞ 경기분석

☞ 영상분석(동작분석)

☞ 지면반력분석

☞ 근전도분석

☞ 기타 힘측정 자료분석

운동역학의 연구영역

☞ 스포츠생체역학(sports biomechanics) : 스포츠기술을 수행할 때 인체의 근육·관절·뼈대의 활동을 연구대상으로 한다. 스포츠 기술에 대하여 역학적으로 잘 이해하는 것이 운동수행, 재활, 부상예방, 기술숙달 등에 아주 중요하기 때문이다.

☞ 운동생체역학(biomechanics of exercise) : 일반적으로 'sports'는 경기종목, 'exercise'는 건강을 위한 운동을 의미한다. 운동의 효과를 극대화하려면 어떻게 해야 하고, 부상을 최소화

하려면 어떻게 해야 하는가에 관심이 있다.

- ☞ 재활역학(rehabilitation mechanics) : 장애가 있는 사람의 운동패턴을 연구하여 그들에게 도움을 줄 수 있는 방법을 찾는다. 의족이나 클러치(지팡이) 같은 장애인을 위한 보조도구나 운동도구에도 관심을 갖는다.
- ☞ 장비개발(equipment design) : 운동용구(라켓, 볼, 자전거 등), 운동용품(옷, 장갑, 헤드기어 등), 운동시설(운동장, 체육관 등)을 개량하는 연구를 말한다.
- ☞ 측정 및 분석방법의 개발 : 역학적 요인을 더 간편하면서도 정확하게 측정할 수 있는 방법이나 도구를 개발한다든지, 운동을 더 쉽고 정확하게 이해할 수 있도록 분석하는 방법을 개발하는 것이다.
- ☞ 인체측정 및 해부기능학(anthropometry & anatomical kinesiology) : 신체분절의 질량, 길이, 무게중심, 관성모멘트 등을 측정하고 일반화하는 것에 관심을 갖는다.
- ☞ 유체역학(bio-fluid mechanics) : 수영, 스쿠버다이빙, 패러글라이딩과 같이 공중이나 물속에서 하는 스포츠를 연구할 때 필요하다.

운동역학의 연구방법

- ☞ 정성적 분석 : 영상장비 등을 사용하여 관찰 및 분석하는 것으로, 객관성 확보가 필요하다. 현장적용이 쉽다.
- ☞ 정량적 분석 : 객관화된 자료를 이용하여 동작분석을 하는 것. 현장적용에 한계가 있다.

운동역학과 관련된 용어

- ☞ 정역학(statics) : 정지하고 있는 물체의 역학
- ☞ 동역학(dynamics) : 운동하는 물체의 역학

- ☞ 강체(rigid body) : 어떻게 움직여도 모양이 변하지 않는 물체를 강체라고 한다. 자세가 변하더라도 크기나 모양이 변하지 않는다고 가정할 수 있는 뼈가 강체에 해당된다.
- ☞ 연체(soft body) : 피부 · 근육 · 연골 등과 같이 자세가 바뀌면 크기와 모양이 변하는 것을 연체라고 한다.

- ☞ 운동학(kinematics) : 힘이나 토크와 관련된 역학적 요인들은 제외하고 거리 · 각도 · 시간 · 속도 등의 요인들만 취급한다.
- ☞ 운동역학(kinetics) : 힘이나 토크와 관련된 요인들도 취급한다. 즉 '운동학+힘과 토크'를 연구하는 것이 운동역학이다.

필수 및 심화 문제

필수문제

01 **운동역학의 필요성을 잘못 설명한 것은?**

① 스포츠지도자는 운동역학적 지식을 토대로 운동학습의 효과를 극대화시킬 수 있다.
② 스포츠과학자는 운동역학적 지식을 현장에 적용시키기 위해 스포츠지도자와 협력적인 관계를 지속적으로 유지해야 한다.
③ 스포츠과학자는 운동역학적 이론을 현장에 적용하여 경기력 향상에 크게 기여한다.
④ 선수들을 지도할 때 운동역학적 지식이 풍부한 운동경험과 관찰능력보다 항상 우위에 있다.

■ 지도자의 오랜 경험에서 나오는 직관이 더 정확한 경우가 많다.

심화문제

02 **보기는 운동역학이 발전해온 발자취이다. ㉠, ㉡, ㉢에 들어가야 하는 것을 잘 짝지은 것은?**

보기

학자	㉠	뉴턴	㉢
연구내용	유체의 정역학	㉡	보행분석

① 뉴턴-운동의 법칙-아인슈타인
② 레오나르도 다빈치-중력법칙-보일
③ 아르키메데스-운동의 법칙-머레이
④ 갈릴레오-만유인력의 법칙-케플러

■ 아르키메데스-유체의 정역학, 뉴턴-운동의 법칙, 머레이-보행분석

03 **운동역학(sport biomechanics)에 대한 내용으로 가장 적절한 것은?**

① 스포츠 상황에서의 경쟁과 불안에 대해서 연구하는 학문이다.
② 스포츠를 사회현상으로 이해하고 설명하려는 학문이다.
③ 스포츠 상황에서 인체 힘의 원인과 결과를 다루는 학문이다.
④ 스포츠 상황에서 인체에서 일어나는 화학반응 및 생리현상에 대해서 설명하는 학문이다.

■ 스포츠상황에서 인간 움직임을 물리학의 원리를 응용하여 연구하는 학문이 운동역학(kinetics)이다.
■ ①은 스포츠심리학, ②는 스포츠사회학, ④는 운동생리학에 관한 연구이다.

정답 01 : ④, 02 : ③, 03 : ③

필수문제

04 운동역학의 연구목적으로 적절하지 않은 것은?

① 운동기술 향상　　② 운동불안 완화
③ 운동장비 개발　　④ 스포츠 손상 예방

■운동역학의 연구목적
· 운동기술 분석 및 개발
· 운동상해 예방
· 운동용 · 기구 개발 및 평가
· 운동역학 연구방법 개발
· 측정방법 및 기구 개발
■④ 운동불안 완화는 스포츠심리학의 연구 목적이다.

심화문제

05 운동역학(Sports Biomechanics) 연구의 목적과 내용이 아닌 것은?

① 동작분석　　② 운동장비 개발
③ 부상 기전 규명　　④ 운동 유전자 검사

■④ 운동 유전자 검사는 운동생리학의 연구 목적이다.

06 운동역학의 목적에 적합한 내용이 아닌 것은?

① 무릎관절의 상해기전에 대해 알아보기 위하여 도약 후 착지 시 무릎에 가해지는 힘을 측정하는 방법을 개발한다.
② 드라이버 비거리를 향상시키기 위하여 영상분석을 통해 다운스윙 시 손목의 동작을 분석함으로써 피드백을 제공한다.
③ 태권도 시합 중 발생할 수 있는 뇌진탕을 방지하기 위하여 최적의 헤드 기어를 연구 개발한다.
④ 재활치료 중 운동수행의 중단 효과를 감소시키기 위한 이미지 트레이닝 방법을 연구 개발한다.

■④는 트레이닝론 또는 스포츠심리학의 목적이다.

07 운동역학의 연구내용으로 바르지 않은 것은?

① 운동기술의 분석 및 개발　　② 운동기구의 평가 및 개발
③ 트레이닝 방법의 평가 및 개발　　④ 분석방법 및 자료처리 기술개발

■③ 트레이닝 방법의 평가 및 개발은 트레이닝론에서 연구한다.

08 운동역학 분야의 목적과 내용으로 옳지 않은 것은?

① 심폐지구력 향상 훈련법의 개발
② 스포츠 동작 신기술 개발을 통한 경기력 향상
③ 역학적 이해를 통한 스포츠 동작의 효율성 극대화
④ 스포츠 상황에서 역학적으로 발생하는 상해 원인분석

■① 심폐지구력 향상 훈련과 같은 훈련방법의 개발은 트레이닝론의 연구영역이다.

09 운동역학의 주요 연구목적에 포함되지 않는 것은?

① 경기력 및 운동기술의 향상　　② 스포츠 현장에서의 상해 예방
③ 스포츠 선수의 심리 조절　　④ 경기력 향상을 위한 운동장비 개발

■③ 스포츠선수의 심리 조절은 스포츠심리학의 연구목적이다.

정답　04 : ②, 05 : ④, 06 : ④, 07 : ③, 08 : ①, 09 : ③

10 운동역학의 연구목적과 거리가 먼 것은?

■③ 운동이 인체의 구성성분(체성분)에 미치는 영향은 운동생리학의 연구목적이다.

① 운동기술의 향상
② 운동상해의 예방
③ 운동이 인체의 구성성분에 미치는 영향
④ 운동기구의 개발

11 운동역학 연구의 주된 목적이 아닌 것은?

■③ 멘탈 및 인지 강화 프로그램 구성은 스포츠심리학의 연구목적이다.

① 운동기술의 향상
② 운동 용기구의 개발 및 평가
③ 멘탈 및 인지 강화 프로그램의 구성
④ 운동수행 안전성의 향상 및 손상의 예방

12 스케이팅의 클랩스케이트, 장대높이뛰기의 유리섬유질 장대, 탁구 라켓의 이질 러버와 관계되는 운동역학의 연구내용 분야는?

① 트레이닝 방법의 평가 및 개발
② 운동기술의 분석 및 개발
③ 운동기구의 평가 및 개발
④ 분석방법 및 자료처리 기술 개발

13 운동역학의 연구방법이 아닌 것은?

■② 가스 분석은 운동생리학의 연구방법 중 하나이다.

① 동작 분석
② 가스 분석
③ 지면반력 분석
④ 근전도 분석

14 운동역학의 연구에 사용되는 방법이 아닌 것은?

■④ 운동부하검사법은 운동생리학의 연구에사용된다.

① 힘분석법
② 동작분석법
③ 근전도분석법
④ 운동부하검사법

필수문제

15 인체의 운동분석은 운동학(kinematics)과 운동역학(kinetics)으로 나눌 수 있다. 이에 대한 설명으로 옳지 않은 것은?

① 운동학 : 운동의 변위, 속도, 가속도를 기술
② 운동역학 : 속도를 기준으로 분석
③ 운동학 : 무게중심, 관절각 등을 기술
④ 운동역학 : 운동의 원인이 되는 힘을 측정

■② 속도를 분석하는 것은 운동학이다.

정답 10 : ③, 11 : ③, 12 : ③, 13 : ②, 14 : ④, 15 : ②

필수문제

16 정역학(statics)의 범주에 해당하지 않은 것은?

① 물체에 작용하는 모든 힘이 평형을 이루고 있고 회전이 발생하지 않을 때
② 물체가 일정한 속도로 움직일 때
③ 물체가 정지하고 있을 때
④ 물체가 가속할 때

■④ 정지된 상태에서 하는 역학적 연구가 정역학이다.

심화문제

17 학문영역에 대한 설명으로 옳지 않은 것은?

① 정역학(Statics) : 인체측정학적 요인을 연구하는 학문
② 동역학(Dynamics) : 가속에 영향을 받는 시스템을 연구하는 학문
③ 운동학(Kinematics) : 공간이나 시간을 고려하여 움직임을 기술하는 학문
④ 운동역학(Kinetics) : 힘의 작용을 연구하는 학문

■① 정지된 물체를 역학적으로 연구하는 것이 정역학이다.

18 다음 설명 중 옳지 않은 것은?

① 운동학은 정성적 분석에만 관심을 갖는다.
② 힘의 합력이 0인 경우가 정역학의 연구대상이다.
③ 운동역학의 연구 분야를 운동학과 운동역학으로 나눌 수도 있다.
④ 운동의 원인인 힘에 대한 분석까지도 포함하는 것이 운동역학이다.

■① 운동학에서도 속도, 각도, 거리 등을 측정하기 때문에 정량적 분석을 주로 한다.
■정성적 분석, 정량적 분석(p. 3) 참조

필수문제

19 운동역학(Kinetics)적 분석의 예로 옳은 것은?

① 축구에서 드리블하는 동안의 이동 거리 측정
② 보행 시 지면반력 측정
③ 100m 달리기 시 신체중심의 구간별 속도 측정
④ 멀리뛰기 발구름 시 발목관절의 각도 측정

■① 거리, ③ 속도, ④ 각도를 측정하는 것은 운동학(kinematics)적 분석이다.

심화문제

20 움직임의 원인은 고려하지 않고 움직임만을 관찰하고 분석하는 것은?

① 운동역학	② 운동학
③ 정역학	④ 유체역학

■② 움직이는 동작에만 관심을 두면 운동학이다.

정답 16 : ④, 17 : ①, 18 : ①, 19 : ②, 20 : ②

21 운동학(Kinematics)적 분석의 예로 옳은 것은?

■①, ②, ③과 같이 힘이나 모멘트를 측정하는 것은 운동역학(kinetics)적 분석이다.

① 테니스 포핸드 스트로크에서 그립 압력(grip pressure)의 크기 측정
② 스쿼트 동작에서 대퇴사두근의 근활성도 측정
③ 축구 헤딩 후 착지 시 무릎관절의 모멘트 계산
④ 골프 드라이버 스윙 시 클럽헤드의 최대속도 계산

22 운동학(kinematics)적 측정의 예가 아닌 것은?

■힘을 측정하면 무조건 운동역학이다.

① 자유투 시 농구공이 날아가는 궤적을 측정한다.
② 야구 스윙 시 배트의 각속도를 측정한다.
③ 컬링의 스위핑 시 브러쉬에 가해지는 압력을 측정한다.
④ 테니스 스트로크 동작 시 팔꿈치 각도를 측정한다.

23 운동학적 변인이 아닌 것은?

■토크는 운동역학적 변인이다.

① 변위 ② 속도
③ 각속도 ④ 토크

정답 21 : ④, 22 : ③, 23 : ④

02 Chapter 운동역학의 이해

운동역학의 해부학적 기초

뼈대계통	**몸에 있는 뼈**, 뼈와 관련이 있는 연골, 힘줄(건), 인대를 포함한다. 생명유지에 필수적인 기관들을 보호하고, 신체조직을 지지해주고, 움직임을 위한 지렛대 역할을 한다.
근육계통	체중의 약 40~50%를 차지한다. 골격근을 통해서 인체의 운동을 일으키고, 심장근과 내장근을 통해서 인체의 중요한 기관들의 기능을 발현시킨다. 뼈대근육(골격근)은 세포핵이 여러 개이고, 가로무늬가 있으며, 수의근이다. 심장근육은 세포핵이 하나이고, 가로무늬가 있으며, 불수의근이다. 내장근육은 세포핵이 하나이고, 무늬가 없으며, 불수의근이다. 뼈대근육이 뼈에 부착되어 있는 지점 중에서 상대적으로 움직임이 적은 부분을 시작점(기시점), 반대쪽을 부착점(정지점)이라 한다. **근육이 하는 주된 역할**에 따라서 굽힘근(굴근)과 폄근(신근), 벌림근(외전근)과 모음근(내전근), 돌림근(회전근), 주동근과 길항근, 협력근 등으로 분류한다. **근육의 수축방법** · **등장성 수축** : 물건을 들고 가만히 있을 때처럼 근육이 발휘하는 힘의 크기가 변하지 않는(같은) 경우 · **등척성 수축** : 힘을 주어서 벽을 밀고 있을 때처럼 근육의 길이는 변하지 않지만 힘은 계속해서 발휘하고 있는 경우 · **단축성 수축** : 근육의 길이가 짧아지면서 힘을 발휘하는 경우 · **신장성 수축** : 근육의 길이가 늘어나면서 힘을 발휘하는 경우
해부학적 자세	자세, 위치, 방향, 공간, 면 등을 기술할 때 기준이 되는 자세이다. 똑바로 서서 앞을 바라보고, 두 팔은 아래로 늘어뜨려 양 옆구리에 붙인다. 두 발은 11자 모양으로 붙여서 앞꿈치가 정면을 향하고, 두 손바닥은 곧게 펴서 정면을 향하게 한다.
인체의 운동 면	앞면(좌우면, 이마면, 관상면), 옆면(시상면, 전후면, 측면), 가로면(횡단면, 수평면)으로 분류한다. · **좌우면**(frontal plane)……좌우가 다 보이는 면. 전액면(前額面), 이마면, 관상면(冠狀面), 앞면. · **전후면**(sagittal plane)……앞과 뒤가 다 보이는 면. 시상면(矢狀面 ; 가슴에 화살이 박혀 있다고 가정했을 때 이루는 면), 정중면(正中面 ; 한가운데의 면). · **가로면**(transverse plane)……보통 수평면(水平面)이라고 하지만, 사람이 누워 있을 때에는 수평면이라고 하기 곤란하기 때문에 가로면이라 한다. 횡단면(인체를 가로로 자르는 면).
인체의 운동 축	가로축(횡축, 좌우축, 수평축), 세로축(종축, 상하축, 수직축), 앞뒤축(전후축, 수평축), 장축(긴 축)과 단축(짧은 축)으로 분류한다.
인체의 운동 방향	앞과 뒤(전후, 배쪽과 등쪽, 복측과 배측), 왼쪽과 오른쪽(좌우), 위와 아래(상하, 두측과 미측, 머리쪽과 꼬리쪽), 안쪽과 가쪽(내측과 외측, 가운데쪽과 곁쪽), 몸쪽과 먼쪽(근위와 원위), 겉쪽과 속쪽(심측과 표측, 깊은층과 얕은층)

관절의 종류와 운동

관절에는 부동관절(못움직관절), 반관절, 가동관절(움직관절)의 3종류가 있다.

1 가동관절의 종류

중쇠관절	맷돌처럼 한 쪽 뼈의 끝 가운데에 구멍이 뚫려있고, 다른 쪽 뼈의 끝이 뾰족한 중쇠처럼 생겨서 구멍에 쏙 들어가 있는 형태의 관절. 회전운동만 가능하다. 환추관절이라고도 한다. 1번 경추와 2번 경추의 관절.
경첩관절	여닫이문에 있는 경첩처럼 한 방향으로만 회전할 수 있다. 팔꿉관절과 무릎관절
타원관절	한 쪽 뼈의 끝이 과일처럼 둥글 넓적하게 생겼고 반대 쪽 뼈의 끝 부분이 둥글 넓적하게 파여 있어서 두 뼈가 안정되게 결합할 수 있는 관절. 두 방향으로 회전이 가능하다. 과일같이 생겼다고 해서 과상관절이라고도 한다. 손목관절
안장관절	말안장에 앉아있는 기수는 앞뒤로 미끄러지면서 움직일 수도 있고, 좌우로 회전하면서 움직일 수도 있다. 안상관절이라고도 한다. 엄지손가락의 손허리뼈와 손바닥뼈 사이의 관절. 엄지손가락과 다른 손가락을 마주대기(맞섬)가 가능하다.
절구관절	절구에 곡식을 넣고 갈아서 가루를 만들 때처럼 오목한 뼈 속에 다른 뼈가 끼어들어가 있는 형태의 관절. 모든 방향으로 회전할 수 있다. 어깨관절과 엉덩관절(고관절)
평면관절	두 뼈가 서로 맞닿는 부분이 평평하게 생긴 관절. 두 뼈가 서로 미끄러질 수 있다고 해서 미끄럼관절 또는 활주관절이라고도 한다.
차축관절	한 쪽 뼈가 기둥처럼 서 있고 반원형인 다른 뼈가 기둥에 붙어서 돌 수 있는 관절. 팔꿈치의 노뼈(요골)와 자뼈(척골)가 만나는 지점의 관절. 아래팔을 회내 또는 회외시킬 수 있다.

2 관절운동의 종류

의학에서는 굽힘과 폄이라고 하지만, 체육에서는 굽히기와 펴기라고 해야 한다.

3 굽히기와 펴기(굴곡과 신전)

- ☞ 시상면상에서 관절각도가 커지거나 작아지는 운동.
- ☞ 걸을 때 어깨관절의 각도처럼 각도 측정이 애매할 때는 관절에서 머리 방향으로 그은 직선을 기준으로 각도를 측정한다.
- ☞ 펴기를 하다가 기준선을 넘어가면 갑자기 굽히기(굴곡)가 되는 것이 아니라, 과다펴기(과신전)라고 해야 한다.
- ☞ 손목과 발목에서는 바닥쪽으로 굽히기와 등쪽으로 굽히기로 구분하고, 굽혔던 것이 해부학적 자세로 되돌아가는 것을 방향과 관계없이 모두 펴기라고 한다.
- ☞ 머리와 몸통은 이마면(앞면)에서 움직이는 것도 굽히기와 펴기라고 한다. 즉 앞으로 굽히기와 뒤로 굽히기, 오른쪽으로 굽히기와 왼쪽으로 굽히기.

4 벌리기와 모으기(외전과 내전)

이마면에서 몸의 중심선에서 멀어지는 것과 그 반대.

5 돌리기(회전)

- ☞ 장축을 축으로 신체 분절을 돌리는(비트는) 것을 돌리기라 한다.
- ☞ 머리와 몸통은 오른쪽으로 돌리기와 왼쪽으로 돌리기라 한다,
- ☞ 팔 다리는 안쪽으로 돌리기와 바깥쪽으로 돌리기(내측회전과 외측회전)라 한다.

6 회선

- ☞ 신체분절의 궤적이 원뿔을 이루는 것을 회선이라 한다.
- ☞ 완전히 큰 원 하나를 그리면 휘돌리기라 한다.
- ☞ 방향은 시계방향과 반시계방향으로 구분한다.

7 엎치기와 뒤치기(회외와 회내)

- ☞ 장축을 축으로 신체 분절을 돌리는(비트는) 것은 돌리기(회전)라 한다.
- ☞ 몸 전체를 수평면 상에서 돌리면 엎드리기와 눕기(뒤집기)라 한다.
- ☞ 아래팔만 수평면상에서 돌리면 엎치기와 뒤치기(회외와 회내)라 한다.

8 안쪽으로 번지기와 바깥쪽으로 번지기(내번과 외번)

- ☞ 의자에 앉은 자세에서 엄지발가락과 발꿈치를 잇는 선을 안쪽발날, 새끼발가락과 발꿈치를 연결하는 선을 바깥쪽발날이라고 한다.
- ☞ 안쪽발날을 축으로 바깥쪽발날을 들면 안쪽으로 번지기(내번), 바깥쪽발날을 축으로 안쪽발날을 들면 바깥쪽으로 번지기(외번)라고 한다.
- ☞ 안쪽으로 번지기를 X자 다리 만들기, 바깥쪽으로 번지기를 O자 다리 만들기라고 한다.
- ☞ 의자에 앉은 자세에서 발바닥을 들어서 하퇴를 좌우로 흔드는 것은 내번과 외번이라고 할 수도 있고, 내전과 외전이라고 할 수도 있다.

9 올림과 내림(거상과 강하)

어깨를 위로 올리거나 아래로 내리는 것.

10 내밀기와 뒤로 빼기

턱을 앞으로 내밀거나 뒤로 빼서 움츠리는 것.

11 마주대기와 제자리로 돌리기(대립과 복원)

엄지손가락과 다른 손가락을 마주대거나 떼어서 제자리로 돌아가는 것.

운동의 종류

운동이란 시간에 따라 물체의 위치가 변하는 것이다.

직선운동	물체의 이동궤적이 직선인 운동.
원운동	물체의 이동궤적이 원인 운동.
곡선운동	물체의 이동궤적이 곡선인 운동으로, 직선운동과 원운동이 복합적으로 일어나는 운동.
병진운동	이동운동 중에서 인체의 각 부위가 동일한 거리를 이동하는 운동이라는 의미에서 병진운동이라고 한다. 예를 들어서 스키의 활강이 인체의 각 부위가 이동하는 거리가 거의 같고 궤적도 모양이 비슷하다. 그러나 엄밀한 의미에서는 병진운동은 없다.
회전운동	하나의 직선을 축으로 물체가 빙빙 도는 운동. 한 점 한 점을 따로 떼어서 보면 원운동을 한다.
각운동	어느 정도 회전했다가 다시 제자리로 되돌아가는 것을 반복하는 운동.
포물선운동	물체의 이동궤적이 포물선의 일부와 같은 운동. 수평방향의 운동과 수직방향의 운동이 합쳐진 것이다.
복합운동	병진운동과 회전운동이 결합된 운동으로, 인체 운동은 대부분 이에 해당된다. 보행과 체조 동작은 복합운동의 예이다.

필수 및 심화 문제

필수문제

01 해부학적 자세(anatomical position)에서 방향용어의 표현으로 적절한 것은?

① 코는 귀의 외측(바깥쪽 : lateral)에 위치한다.
② 가슴은 엉덩이의 하측(아래쪽 : inferior)에 위치한다.
③ 어깨는 목의 내측(안쪽 : medial)에 위치한다.
④ 머리는 가슴의 상측(위쪽 : superior)에 위치한다.

■ ① 코는 귀의 안쪽에 위치한다.
■ ② 가슴은 엉덩이의 위쪽에 위치한다.
■ ③ 어깨는 목의 가쪽에 위치한다.

심화문제

02 해부학적 자세에서 몸의 중심을 기준으로 한 방향용어의 사용이 옳지 않은 것은?

① 복장뼈(흉골 : sternum)는 어깨의 가쪽(외측 : lateral)에 있다.
② 손목관절은 팔꿈치관절보다 먼쪽(원위 : distal)에 있다.
③ 엉덩이는 무릎보다 몸쪽(근위 : proximal)에 있다.
④ 머리는 발보다 위(상 : superior)에 있다.

■ 복장뼈는 어깨 안쪽에 있다.

03 해부학적 자세를 기준으로 발목관절(족관절 : ankle joint)의 바닥쪽굽힘(족저굴곡 : plantar flexion)과 등쪽굽힘(배측굴곡 : dorsiflexion)이 발생하는 면(plane)은?

① 수평면(horizontal plane)
② 전두면(frontal plane)
③ 대각면(diagonal plane)
④ 시상면(sagittal plane)

■ 족저굴곡과 배측굴곡 동작을 모두 보려면 옆에서 보아야 한다.

04 인체의 움직임은 3개의 운동 면에서 설명할 수 있다. 다음 중 인체의 3가지 면에 해당되지 않는 것은?

① 전좌면(anterioleft plane)
② 전후면(sagittal plane)
③ 좌우면(frontal plane)
④ 수평면(horizontal plane)

■ 전좌면의 운동은 없다.

정답 01 : ④, 02 : ①, 03 : ④, 04 : ①

05 다음 중 해부학적 자세에 대한 설명으로 바르지 않은 것은?

① 시선은 전방을 향한다.
② 인체를 곧게 세운 직립자세를 말한다.
③ 각 분절의 운동축과 운동면은 해부학적 자세를 기준으로 한다.
④ 팔은 엄지손가락이 전방을 향하여 손바닥이 몸통을 향하게 한다.

■ 팔은 곧게 뻗어서 내려뜨리고 손바닥을 펴서 정면에서 보이도록 한다.

06 인체의 측면을 통과하여 인체를 전후로 나누는 해부학적 운동면은?

① 횡단면(수평면)
② 전후면(정중면)
③ 좌우면(관상면)
④ 시상면

07 해부학적 방향을 나타내는 용어와 의미가 바르게 묶이지 않은 것은?

① 앞쪽(anterior, 전) - 인체의 정면 쪽
② 아래쪽(inferior, 하) - 머리로부터 먼 쪽
③ 안쪽(medial, 내측) - 인체의 중심 쪽
④ 얕은(superficial, 표층) - 인체의 안쪽

■ '얕은'은 인체의 표면쪽을 나타낸다.

08 뼈와 근육을 연결해주는 것은?

① 인대
② 힘줄
③ 신경
④ 관절

■ 뼈와 근육은 힘줄(건)이 연결하며, 인대는 뼈를 튼튼하게 고정시키는 역할을 한다.

필수문제

09 보기의 ㉠~㉢에 들어갈 용어가 바르게 연결된 것은?

보기
(㉠)에서는 주동근에 의해 발휘되는 (㉡)가 (㉢)보다 커서 근육의 길이가 짧아진다.

	㉠	㉡	㉢
①	단축성 수축(concentric contraction)	저항모멘트	힘모멘트
②	단축성 수축(concentric contraction)	힘모멘트	저항모멘트
③	신장성 수축(eccentric contraction)	저항모멘트	힘모멘트
④	신장성 수축(eccentric contraction)	힘모멘트	저항모멘트

■ 단축성 수축은 근육의 길이가 짧아지는 수축이다. 따라서 주동근의 힘모멘트가 저항모멘트보다 커야 한다. 이와 반대되는 것은 신장성 수축이다.

정답 05 : ④, 06 : ③, 07 : ④, 08 : ②, 09 : ②

심화문제

10 보기에서 근수축 형태와 기계적 일(mechanical work)과의 관계를 설명한 것 중 옳은 것만을 모두 고른 것은?

> 보기
> ㉠ 위팔두갈래근(상완이두근, biceps brachi)의 신장성 수축(eccentric contraction)은 팔꿉관절(albow joint)에 대해 양 (positive)의 일을 한다.
> ㉡ 위팔두갈래근의 단축성 수축(concentric contraction)은 팔꿉관절에 대해 음(negative)의 일을 한다.
> ㉢ 위팔두갈래근의 등척성 수축(isometric contraction)이 팔꿉관절에 대해 한 일은 0이다.

① ㉠, ㉡, ㉢ ② ㉠, ㉡ ③ ㉢ ④ ㉡, ㉢

■ 등척성 수축은 근육섬유의 길이에 변화가 없고 관절각도의 변화도 없는 상태(정지상태)에서 근육에 힘이 들어가므로 관절운동이 일어나지 않는다.

11 보기의 ㉠, ㉡에 알맞은 내용으로 바르게 나열된 것은?

> 보기
> 신장성 수축(eccentric contraction)은 근육군에 의해 발휘되는 힘 모멘트가 외력에 의한 저항 모멘트보다 (㉠), 근육이 (㉡) 발생하는 수축형태이다.

	㉠	㉡
①	작아서	길어지며
②	작아서	짧아지며
③	커서	길어지며
④	커서	짧아지며

■ 신장성 수축은 근육이 발휘하는 힘이 외력에 의한 저항모멘트보다 작아서 근육이 늘어나는 수축형태이다.

12 방향용어의 설명 중 틀린 것은?

① 가쪽 : 인체의 정중면에서 먼 쪽
② 몸쪽 : 몸통이나 시작점에서 가까운 위치
③ 배쪽(ventral) : 등쪽의 반대
④ 저측 : 손바닥쪽

■ 저측은 발바닥쪽이고, 손바닥쪽은 장측이다.

정답 10 : ③, 11 : ①, 12 : ④

필수문제

13 보기에 있는 관절의 종류를 잘 짝지은 것은?

보기
㉠ 첫째와 둘째목뼈 사이의 관절
㉡ 팔꿈치의 관절
㉢ 엄지손가락의 손허리뼈 사이의 관절

① ㉠ 경첩관절 ㉡ 안장관절 ㉢ 중쇠관절
② ㉠ 안장관절 ㉡ 경첩관절 ㉢ 중쇠관절
③ ㉠ 중쇠관절 ㉡ 경첩관절 ㉢ 안장관절
④ ㉠ 경첩관절 ㉡ 중쇠관절 ㉢ 안장관절

■ 볼록한 둘째목뼈는 반지(고리)모양을 한 첫째목뼈의 구멍 사이에 끼어 있어서 중쇠관절이라 한다. 팔꿉관절은 경첩처럼 생겼고, 엄지손가락의 손허리관절은 안장관절이다.
■ 가동관절의 종류(p. 10) 참조

심화문제

14 인체 관절의 종류 중에서 절구관절(ball and socket joint)에 대해 잘못 설명한 것은?

① 관절을 이루는 뼈의 표면이 각각 볼록하고 오목하다.
② 모든 운동 면에서 회전이 가능하다.
③ 어깨관절, 엉덩관절 등이 절구관절에 해당된다.
④ 절구관절은 타원의 장축과 단축만으로 회전하는 운동을 하기 때문에 2축 관절이다.

■ 절구관절은 3축관절이다.

15 손목관절은?

① 경첩관절 ② 절구관절 ③ 이축관절 ④ 고리관절

■ 손목은 두 방향으로 굽힐 수 있다.

필수문제

16 좌우축을 축으로 하는 전후면 상에서의 운동으로 올바른 것은?

① 굴곡(flexion) ② 외번(eversion) ③ 내번(inversion) ④ 회전(rotation)

■ 굴곡→굽히기
외번→가쪽번지기
내번→안쪽번지기
회전→돌리기

심화문제

17 팔꿉관절(주관절)을 축으로 시행하는 암컬(arm-curl) 동작은 어떻게 이루어지는가?

① 벌림과 모음(외전과 내전)
② 굽힘과 폄(굴곡과 신전)
③ 휘돌림과 돌림(회선과 회전)
④ 손바닥 안쪽돌림과 바깥쪽돌림(회내와 회외)

■ 암컬 동작은 팔꿈치를 축으로 하여 아래팔(전완)의 굽히기와 펴기를 반복하는 동작이다.

정답 13 : ③, 14 : ④, 15 : ③, 16 : ①, 17 : ②

18 팔벌려뛰기(jumping jack) 동작의 운동축과 운동면은?

① 전후축-전후면　　② 전후축-좌우면
③ 좌우축-전후면　　④ 세로축-수평면

19 창던지기 동작을 관찰하기에 가장 적합한 위치는?

① 전후축의 연장선　　② 상하축의 연장선
③ 좌우축의 연장선　　④ 세로축의 위쪽

■ 옆에서 보아야 한다.

필수문제

20 좌우면 상에서 일어나는 관절운동은?

① 걷기　　② 원반던지기
③ 벌리기　　④ 펴기

■ 벌리기와 모으기는 이마면(관상면, 좌우면)에서 몸의 중심쪽으로 멀어지는 것과 가까워지는 것이다.
■ 펴기는 굽히기의 반대운동이다.

심화문제

21 인체의 움직임을 표현하는 용어로 옳지 않은 것은?

① 굽힘(굴곡, flexion)은 관절을 형성하는 뼈들이 이루는 각이 작아지는 움직임이다.
② 폄(신전, extension)은 관절을 형성하는 뼈들이 이루는 각이 커지는 움직임이다.
③ 벌림(외전, abduction)은 뼈의 세로축이 신체의 중심선으로 가까워지는 움직임이다.
④ 발등굽힘(배측굴곡, dorsi flexion)은 발등이 정강이뼈(경골, tibia) 앞쪽으로 향하는 움직임이다.

■ ③ 벌림(외전, 벌리기)은 신체의 중심선에서 멀어지는 것. 가까워지는 것은 모음(내전, 모으기)이다 (pp.10~11 참조).

22 그림에서 다리의 벌림(외전 : abduction)과 모음(내전 : adduction)이 발생하는 면(plane)은?

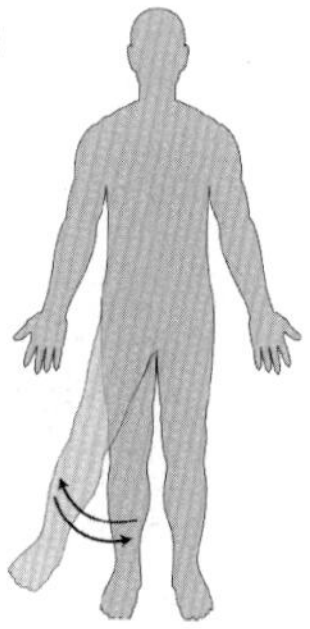

① 수평면(횡단면 : horizontal or transverse plane)
② 좌우면(관상면 : frontal plane)
③ 전후면(시상면 : sagittal plane)
④ 대각면(diagonal plane)

■ 벌림(벌리기)과 모음(모으기)은 가쪽과 안쪽에서 이루어지는 좌우 방향의 운동이다.
■ 인체의 운동면(p. 9) 참조.

23 10kg의 아령을 손에 들고 굴곡(굽힘) 운동(curl)을 할 때 아령과 아래팔(전완)의 무게는 저항이고, 팔꿉관절(주관절)은 축이라 할 때 작용하는 힘은 어떤 근육에서 발휘하는가?

① 위팔두갈래근(상완이두근)　　② 위팔세갈래근(상완삼두근)
③ 등세모근(승모근)　　④ 넙다리네갈래근(대퇴사두근)

■ 팔꿈치를 굽히는 동작의 주동근은 상완이두근이다.

정답　18 : ②, 19 : ③, 20 : ③, 21 : ③, 22 : ②, 23 : ①

24 다음 설명 중 틀린 것은?

① 뼈가 자신의 세로축을 축으로 도는 것이 회전이다.
② 관절 사이의 각도를 줄이는 것이 굽히기이다.
③ 정중선이나 정중면에 가까워지는 것이 벌리기이다.
④ 손바닥의 회전운동과 손바닥 엎치기는 같은 동작이다.

■ 정중선이나 정중면에 가까워지는 동작은 모으기이다.

25 인체의 좌우축을 중심으로 전후면(시상면)에서 발생하는 관절운동이 아닌 것은?

① 굽힘(flexion, 굴곡)
② 폄(extension, 신전)
③ 벌림(abduction, 외전)
④ 발바닥굽힘(plantar flexion, 저측굴곡)

■ 벌림은 좌우면(이마면, 관상면)에서 발생하는 운동이다.

필수문제

26 철봉의 대차운동에 대한 설명이다. 맞는 것은?

① 좌우축을 축으로 하는 회전운동이다.
② 전후면 상의 운동이다.
③ 수평면 상의 운동이다.
④ 전후축을 축으로 하는 회전운동이다.

■ 철봉의 대차운동은 중점을 두고 보는 방향에 따라서 수평면 상의 운동도 되고 전후면 상의 운동도 된다. 좌우축을 축으로 하는 회전운동이다.

심화문제

27 운동의 종류에 대한 설명으로 옳지 않은 것은?

① 철봉 대차돌기는 복합운동 형태이다.
② 각운동은 중심선(점) 주위를 회전하는 운동이다.
③ 선운동(병진운동)에는 직선운동과 곡선운동이 있다.
④ 대부분의 인간 움직임은 각운동과 선운동 요소가 결합되어 나타난다.

■ 철봉의 대차돌기는 회전운동이다.

28 분절의 운동궤적이 원뿔을 이루는 운동은?

① 등쪽으로 굽히기 ② 회선
③ 안쪽으로 번지기 ④ 모으기

정답 24 : ③, 25 : ③, 26 : ①, 27 : ①, 28 : ②

필수문제

29 다음 설명 중 틀린 것은?

① 신체분절을 세로축을 축으로 돌리는 것을 회전이라고 한다.
② 머리와 몸통은 오른쪽으로 회전과 왼쪽으로 회전으로 구분한다.
③ 팔다리는 해부학적 자세에서 엄지손가락이나 엄지발가락이 신체중심선 쪽으로 오도록 돌리는 것을 안쪽으로 돌리기 또는 엎치기라고 한다.
④ 안쪽으로 돌리기와 엎치기, 바깥쪽으로 돌리기와 뒤치기는 서로 다른 동작이다.

■ 같은 동작인데 습관상 어떤 때는 업치기, 어떤 때는 안쪽으로 돌리기라고 한다.

필수문제

30 의자에 앉아서 발바닥을 땅에 대고 있던 사람이 발바닥에 오물이 묻었는지 확인하기 위해서 발바닥을 새끼발가락과 발꿈치를 연결하는 선을 축으로 가쪽으로 기울였다. 무슨 동작인가?

① 가쪽으로 번지기(외번) ② 안쪽으로 번지기(내번)
③ 등쪽으로 굽히기(내측굴곡) ④ 바닥쪽으로 굽히기(저측굴곡)

■ 이 동작은 가쪽으로 번지기(외번)이다.

심화문제

31 인체의 운동면과 관절운동이 잘못 연결된 것은?

① 전후면(시상면) : 굽히기와 펴기
② 좌우면(관상면) : 벌리기와 모으기
③ 수평면(가로면) : 가쪽번지기와 안쪽번지기
④ 복합운동면 : 휘돌리기

■ 번지기의 운동면은 수직면(횡단면)이다.

32 엄지손가락을 다른 손가락과 맞대는 동작은?

① 손등쪽으로 굽히기 ② 손바닥쪽으로 굽히기
③ 맞섬(맞대기) ④ 바닥쪽으로 굽히기

■ 인간의 손이 맞대기를 할 수 있기 때문에 연장을 사용할 수 있다.

필수문제

33 신체 관절의 움직임 자유도(degree of freedom)에 관한 설명으로 옳은 것은?

① 타원관절(ellipsoid joint)의 움직임 자유도는 3이다.
② 절구관절(ball and socket joint)의 움직임 자유도는 3이다.
③ 경첩관절(hinge joint)의 움직임 자유도는 2이다.
④ 중쇠관절(pivot joint)의 움직임 자유도는 2이다.

■ 자유도는 관절이 움직일 수 있는 방향의 수로서, 경첩관절은 1, 안장관절은 2, 절구관절은 3, 타원관절은 2, 중쇠관절은 1이다.

정답 29 : ④, 30 : ①, 31 : ③, 32 : ③, 33 : ②

■ **곡선운동** : 직선운동과 원운동이 복합적으로 일어난다.
■ **병진운동** : 물체를 구성하는 모든 질점들이 같은 방향에 대해 평행하게 동일거리를 이동하는 운동이다. 회전운동과 동시에 일어난다. 직선적 병진운동은 신체의 중심이 직선적으로 이동하는 것이며, 곡선적 병진운동은 신체의 중심이 곡선적으로 이동하고 회전없이 던져진 물체나 신체중심의 이동궤적운동이다.

■ **복합운동** : 병진운동과 회전운동이 결합된 운동.
■ **회전운동** : 물체가 한 점이나 한 축을 중심으로 움직이는 운동.

필수문제

34 운동의 종류에 관한 설명으로 옳은 것은?

① 병진운동에는 직선운동만 있다.
② 곡선운동은 회전운동에 포함되는 운동이다.
③ 복합운동은 병진운동과 회전운동이 혼합된 운동이다.
④ 병진운동은 한 개의 고정된 축을 중심으로 물체가 회전하는 운동이다.

심화문제

35 운동의 형태에 관한 설명으로 옳은 것은?

① 병진운동은 회전축 주위를 일정한 각도로 이동하는 운동이다.
② 복합운동은 선운동과 병진운동이 결합되어 나타나는 운동이다.
③ 회전운동은 신체의 각 부위가 동일한 거리를 이동하는 운동이다.
④ 곡선운동은 회전운동이 아닌 병진운동에서 일어나는 운동이다.

36 선운동에 해당되지 않는 것은?

■ 대차돌기 시 신체중심의 이동궤적은 원운동이다.

① 스키점프 비행구간에서 신체중심의 이동궤적
② 선수의 손을 떠난 투포환 질량중심의 투사궤적
③ 100m달리기 시 신체중심의 이동궤적
④ 체조의 대차돌기 시 신체중심의 이동궤적

37 다음 설명 중 틀린 것은?

■ 변위는 출발점에서 도착점까지 직선방향으로 측정한 것으로, 크기와 방향을 가지고 있다

① 물체가 한 점에서 다른 점으로 이동했을 때 궤적의 길이가 거리이다.
② 속력=거리/시간
③ 속도는 크기와 방향이 있다.
④ 변위는 크기만 있다.

38 선운동과 각운동이 혼합된 운동은?

① 병진운동 ② 복합운동 ③ 회전운동 ④ 이동운동

정답 34 : ③, 35 : ④, 36 : ④, 37 : ④, 38 : ②

03 Chapter 인체역학

인체의 물리적 특성

1 질량과 무게

질량	그 물체 고유의 양. 단위 : kg
무게	그 물체에 작용하는 중력의 크기. 단위 : kg중
뉴턴(N)	1kg중=9.8N 1N=약 0.1kg중=약 100g중
MKS단위	길이 m, 질량 kg, 시간 s(초)
중력	지구 전체와 지구 주변에 있는 물체 사이에 작용하는 만유인력이다. 지구의 중심 방향이다. 힘=질량×가속도 이고, 무게=중력='질량×중'이므로 무게 때문에 생기는 가속도='중'이다. 즉 지구 주변에 있는 모든 물체는 지구 중심 방향으로 '중'의 가속도로 떨어지려고 한다. 실제로 측정해봤더니 중=9.8 m/s^2 이었다. 즉 모든 물체는 떨어지는 속도가 중력 때문에 1초에 9.8m/s씩 빨라진다.

2 인체의 무게중심

물체	질량과 부피(크기)가 있는 것.
질점	질량은 있고 부피는 없는 것. 실제로는 없다.
점과 선	질량은 없고 부피는 있는 것. 위치를 표시하기 위해 가상으로 정한 것이다.
중심(中心)	모양의 중심이 되는 곳
무게중심(重心)	그 물체의 질량이 모두 모여 있다고 간주할 수 있는 점
인체의 무게중심의 이동	인체의 무게중심은 한 곳에 머무르지 않으며, 인체의 움직임에 따라 인체의 질량이 재분배됨으로써 위치가 항상 변함.
무게중심선(重心線, 重力線)	무게중심에서 수직하방으로 내려 그린 선.
중심선(中心線)	좌우 대칭인 인체의 가운데를 지나는 선 또는 어떤 물체의 모양의 중심이 되는 선으로, 重心線과 中心線이 완전히 일치하는 경우는 극히 드물다. **정지 자세에서 重心을 찾아내는 방법** : 매다는 방법(현수법), 평형판법, 기타 운동 중에는 취하는 자세에 따라서 수시로 重心의 위치가 변한다.

인체의 평형과 안정성

1 인체의 평형

역학적 평형	물체에 작용하는 힘의 합력이 0이어서 물체의 운동상태가 변하지 않는 것.
열적 평형	물체가 흡수하는 열량과 방출하는 열량이 같아서 물체의 온도가 일정하게 유지되는 것.
화학적 평형	물질의 화학변화가 반대방향으로 일어나는 화학변화와 같은 속도로 일어나 외관상 변화가 일어나지 않는 것.
정적 평형	체조선수가 평균대 위에서 일정한 자세로 안정적으로 있는 것.
동적 평형	스케이트를 타고 달리다가 가만히 있어도 안정적으로 앞으로 계속 나가는 것.
안정적 평형	평형상태로 있던 물체의 평형조건이 깨져서 평형상태에서 약간 벗어났더라도 원래의 상태로 되돌아오는 것.
불안정적 평형	위의 원인으로 평형상태가 완전히 깨져버리는 것.

2 안정성의 원리

바닥면의 면적	바닥면(기저면)의 면적이 넓을수록 인정적이다.
무게중심의 높이	무게중심의 높이가 낮으면 안정적인 자세(가동성은 안 좋음)이고, 높으면 불안정한 자세(가동성은 좋음)이다.
중심선의 위치	중심선이 바닥면의 중앙 위치에 올수록 안정적이고, 바닥면의 한쪽 끝에 위치할수록 불안정한 자세가 되며, 바닥면 밖으로 나가는 순간 넘어지게 된다.
기타	마찰계수가 클수록 안정성이 높다. 또 물체의 질량이 클수록 안정성이 증가한다.

3 인체의 안정성 결정요인

☞ 무게중심의 높이가 낮을수록 안정하다.

☞ 기저면의 넓이가 넓을수록 안정하다.

☞ 중심선이 기저면과 만나는 점의 위치에 따라서 안정성이 변한다.

☞ 기타……무게, 생김새, 근력, 마찰력, 평형감각, 온도, 습도, 재질 등의 영향도 크다.

☞ 안정성이 좋으면 이동성(운동성)이 나쁘고, 안정성이 나쁘면 이동성이 좋다.

인체의 구조적 특성

1 인체분절의모형

운동역학에서 가장 많이 사용하는 인체의 분절 모형은 다음과 같다.

☞ 인체는 먼저 몸통부분(axial body)과 팔다리부분(appendicular body)의 2부분으로 나눈다.

☞ 몸통 부분은 머리(두, head), 목(경부, neck), 몸통(체간, trunk)의 3개 분절로 나눈다.

☞ 팔다리 부분은 몸통에 추가된 부속물로 좌우 팔(상지, upper extremity)과 좌우 다리(하지, lower extremity)로 나뉜다.

☞ 팔은 팔이음뼈(상지대, shoulder girdle), 위팔(상지, arm), 아래팔(전완, forearm), 손(수, hand)의 4개 분절로 나눈다.

☞ 다리는 골반(pelvis, pelvic girdle), 넙다리(대퇴, thigh), 종아리(하퇴, leg), 발(족, foot)의 4개 분절로 나눈다.

2 인체지레의 종류

☞ 근육이 힘을 발휘해서 관절을 회전축으로 뼈(지렛대)를 회전시키는 것을 인체분절의 움직임으로 본다.

☞ 관절이 있는 위치를 **회전축**, 근육이 뼈에 붙어 있는 점을 **힘점**, 분절의 무게와 들고 있는 물체의 무게를 합한 것의 무게중심이 있는 위치를 **저항점**이라고 한다.

☞ 회전축에서 힘점까지의 거리를 **힘팔**, 회전축에서 저항점까지의 거리를 **저항팔**이라 한다.

☞ 힘점, 회전축, 저항점의 위치에 따라서 다음과 같이 3종류로 나눈다.

» 받침점이 가운데에 있고 지렛대의 양쪽 끝에 힘점과 저항점이 있는 것

제1종지레

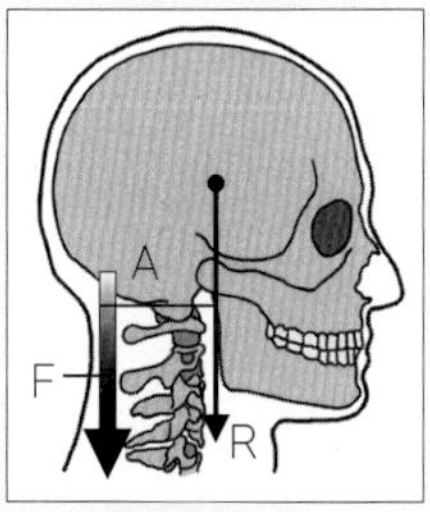

제1종 지렛대

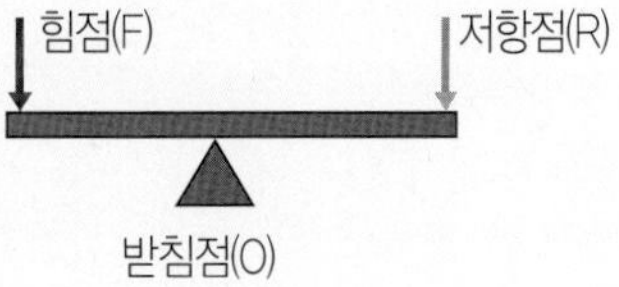

예 : 머리가 앞으로 굽혀지지 않도록 뒤통수근(후두근)이 수축된 상태, 시소, 저울, 팔을 위로 뻗을 때 위팔세갈래근의 역할 등

» 받침점이 한쪽 끝에 있고 저항점이 가운데에 있는 것

제2종지레

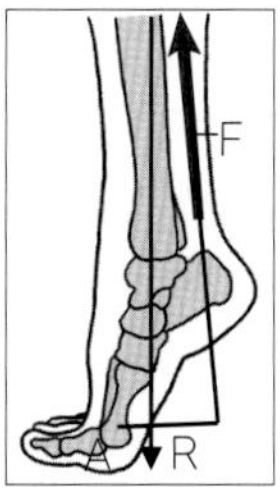

제2종 지렛대

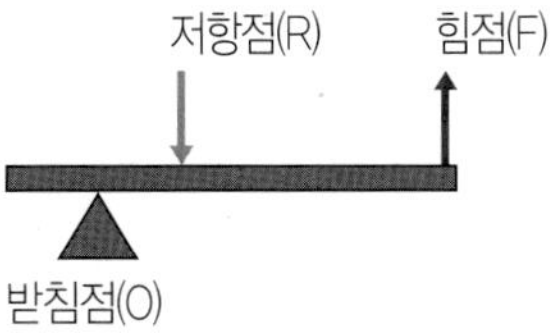

예 : 발꿈치가 바닥에 닿지 않도록 장딴지근(비복근)이 수축된 상태, 발꿈치 들기, 팔 굽혀펴기 등

3종지레	» 받침점이 한쪽 끝에 있고 힘점이 가운데에 있는 것 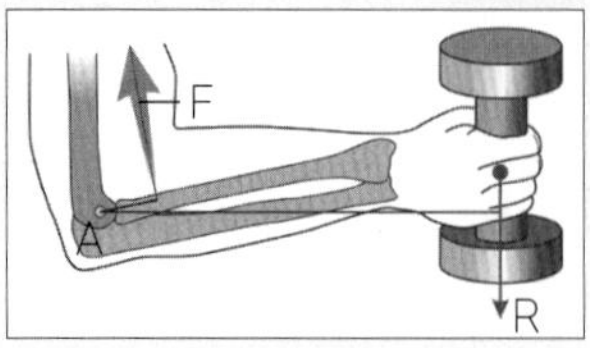 제3종 지렛대 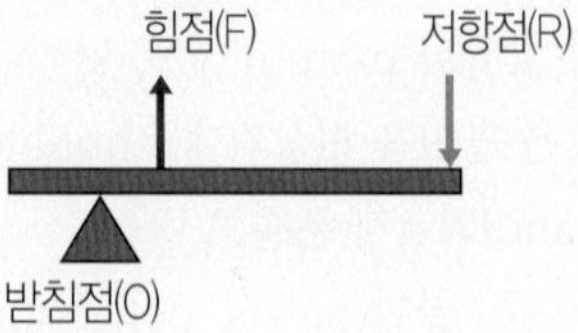 예 : 손바닥에 들고 있는 물건의 무게 때문에 아래팔이 펴지지 않도록 위팔두갈래근(상완이두근)이 수축된 상태. 팔꿈치굽히기 등

필수 및 심화 문제

필수문제

01 **1N의 힘으로 1m 거리를 움직였을 때 수행한 일(work)은? (단, 힘의 작용방향과 이동방향은 일치함)**

① 1J(Joule) ② 1N(Newton) ③ $1m^3$(Cubic meter) ④ 1J/s(Joule/sec)

필수문제

02 **인체의 물리량과 물리적 특성에 관한 설명으로 옳은 것은?**

① kg은 무게의 단위이다.
② 질량은 스칼라(scalar)이고, 무게는 벡터(vector)이다.
③ 무게중심의 위치는 자세와 상관없이 항상 인체 내부에 있다.
④ 질량은 인체가 가지고 있는 관성의 척도로 장소에 따라 크기가 변한다.

필수문제

03 **보기에서 무게중심이 신체 내부에 위치하는 자세를 모두 고른 것은?**

보기

① ㉠, ㉡, ㉢, ㉣ ② ㉠, ㉡, ㉢ ③ ㉠, ㉡ ④ ㉢

정답 01 : ①, 02 : ②, 03 : ④

■ N(뉴턴) : 힘의 MKS 단위. 질량 1kg의 물체에 작용하여 $1m/sec^2$의 가속도를 일으키는 힘. $1N=1kg \cdot m/s^2=10^5dyne$
■ $1m^3$(cubic meter) : 입방미터. 가로×세로×높이가 각 1m인 부피 환산 단위
■ 1J/s(joule/sec) : 열에너지의 단위. 초당 1줄(joul)의 전력을 1Watt로 표시함.

■ 무게는 kg중으로 표기한다.
■ 무게중심의 위치는 항상 인체 내부에만 있는 것은 아니다.
■ 물체의 고유한 속성을 나타내는 물리량의 하나가 질량이다.

■ 무게중심(重心)이란 어떤 물체의 무게가 모두 어느 한 점에 모여 있다고 생각할 수 있는 점이다.
■ ㉠, ㉡, ㉣의 자세일 때 무게중심은 신체의 외부에 있다.
■ 해부학적 자세일 때는 무게중심이 배꼽 근처에 있지만, 손을 들어올리면 무게중심의 위치도 올라간다.

심화문제

■ 토크는 물체를 회전시키는 원인이 되는 물리량이다.
■ 무게중심은 토크의 합이 0이다. (○)
■ 토크의 합이 0이면 무게중심이다. (×)

04 인체의 무게중심에 대한 설명으로 옳은 것은?

① 무게중심은 항상 불변이다.
② 두 사람의 몸무게가 같으면, 두 사람의 무게중심 위치는 항상 같다.
③ 무게중심은 토크(torque)의 합이 0인 지점으로 회전균형을 이룬다.
④ 무게중심은 인체 외부에 위치할 수 없다.

05 인체의 무게중심에 대하여 잘못 설명한 것은?

① 여자는 남자보다 골반이 넓고 어깨의 폭이 좁기 때문에 무게중심이 남자보다 높다.
② 자유롭게 움직이는 분절은 인체 전체의 무게중심점의 위치를 수시로 변하게 한다.
③ 서양인은 동양인에 비해 하지장의 길이가 길기 때문에 무게중심이 동양인보다 높다.
④ 인체의 무게중심이 높으면 불안정해진다.

■ 여자가 남자보다 무게중심의 위치가 낮다.

06 인체의 무게중심에 대한 설명으로 옳지 않은 것은?

① 무게중심의 위치는 안정성에 영향을 줄 수 있다.
② 무게중심은 회전력의 합이 '0'인 지점이다.
③ 무게중심은 인체 외부에 위치할 수 있다.
④ 무게중심의 위치는 변하지 않는다.

■ 무게중심(重心)의 위치는 변한다.

07 인체의 무게중심에 관한 설명으로 옳지 않은 것은?

① 무게중심의 높이는 안정성에 영향을 준다.
② 무게중심은 인체를 벗어나 위치할 수 없다.
③ 무게중심은 토크(torque)의 합이 '0'인 지점이다.
④ 무게중심의 위치는 자세의 변화에 따라 달라진다.

■ ② 인체의 무게중심은 인체를 벗어난 곳에도 있을 수 있다(예 : 높이뛰기에서 활처럼 휘는 공중동작을 취할 때).

필수문제

08 중력에 대한 설명으로 틀린 것은?

① 지구의 모든 지역에서 동일하게 작용된다.
② 물체의 질량과 중력가속도의 곱이다.
③ 물체의 질량에 비례한다.
④ 인체나 물체를 지구 중심을 향해 끌어당기는 힘이다.

■ 지구의 중심(中心)에서 멀어질수록 중력이 작아진다.

정답 04 : ③, 05 : ①, 06 : ④, 07 : ②, 08 : ①

심화문제

09 다음 중 틀린 것은?

① 지구와 달 사이에 작용하는 힘은 만유인력이다.
② 지구와 사람 사이에 작용하는 힘은 중력이다.
③ 어떤 물체에 작용하는 중력의 크기를 그 물체의 질량이라고 한다.
④ 힘은 벡터량이다.

■ 물체에 작용하는 중력의 크기를 그 물체의 **무게**라고 한다.

10 흔히 "내 체중은 65kg이다."라고 말한다. 지구상에서 이 사람의 무게를 잘못 나타낸 것은?(지구의 중력가속도 =9.8m/s^2)

① 65,000g ② 65kg중 ③ 637N ④ 637kg·m/s^2

■ g, kg은 질량의 단위이다.

11 인체 무게중심의 위치를 알 수 있는 방법이 아닌 것은?

① 균형판법 ② 매다는 방법(현수법)
③ 삼각측량법 ④ 인체의 매개변수와 좌표로 계산하는 방법

■ 삼각측량법은 지면에서 거리와 위치를 측정하는 방법이다.

12 중력가속도에 대한 설명이다. 틀린 것은?

① 지구의 인력 때문에 생기는 가속도이다. ② 위치에 따라서 크기가 달라진다.
③ 항상 지구의 중심방향인 벡터량이다. ④ 물체의 생김새와 관계가 있다.

■ 나뭇잎과 같이 공기의 저항을 많이 받는 물체는 중력가속도가 작아진다. 그러나 물체의 생김새 때문에 변하는 양까지 계산하면 너무 복잡하기 때문에 일반적으로 중력가속도는 물체의 생김새와는 관계가 없는 것으로 한다.

필수문제

13 인체의 안정성에 관한 설명으로 옳지 않은 것은?

① 기저면의 크기는 안정성에 영향을 미친다.
② 기저면의 형태는 안정성에 영향을 미친다.
③ 무게중심의 높이는 안정성에 영향을 미치지 않는다.
④ 무게중심을 통과하는 수직선(중심선)이 기저면의 중앙에 가까울수록 안정성은 높아진다.

■ 안정성은 무게중심의 높이가 높을수록 불안정하고, 낮을수록 높다.

심화문제

14 인체의 안정성에 대한 설명으로 옳은 것은?

① 기저면이 넓을수록 안정성은 향상된다.
② 100m 크라우칭스타트 자세는 안정성과 기동성을 모두 향상시킨다.
③ 몸무게가 무거울수록 안정성은 나빠진다.
④ 무게중심이 높을수록 안정성은 향상된다.

■ 안정성은 기저면이 넓고, 무게가 무겁고, 무게중심이 낮아야 좋다.

정답 09 : ③, 10 : ①, 11 : ③, 12 : ④, 13 : ③, 14 : ①

15 인체의 안정성에 대한 설명이다. 틀린 것은?

■중심선이 기저면의 경계선에서 멀리 떨어져 있을수록 안정성이 크다.

① 무거운 물체가 가벼운 물체보다 안정성이 크다.
② 바닥면의 넓이가 넓을수록 안정성이 크다.
③ 무게중심의 위치가 낮을수록 안정성이 크다.
④ 중심선의 위치와 안정성 사이에는 아무런 관계도 없다.

16 기저면이 좁은 자세에서 넓은 자세 순으로 바르게 열거한 것은?

① 차렷 자세 : 태권도 주춤 서기 자세 : 평균대 위에서 한 발 서기 : 레슬링에서 옆굴리기 저항 자세
② 평균대 위에서 한 발 서기 : 태권도 주춤 서기 자세 : 차렷 자세 : 레슬링에서 옆굴리기 저항 자세
③ 평균대 위에서 한 발 서기 : 차렷 자세 : 태권도 주춤 서기 자세 : 레슬링에서 옆굴리기 저항 자세
④ 차렷 자세 : 평균대 위에서 한 발 서기 : 레슬링에서 옆굴리기 저항 자세 : 태권도 주춤 서기 자세

필수문제

17 보기의 ㉠, ㉡, ㉢에 알맞은 내용은?

■기저면은 넓게 하고, 무게중심은 낮아야 안정성이 높아진다.
■㉢은 안 · 밖으로 구분하는 것보다 중앙과 가장자리로 구분하면 더 명확하다.

보기
직립자세에서 안정성을 높이기 위해서는 기저면(base of support)을 (㉠), 무게중심을 (㉡), 수직무게중심선을 기저면의 (㉢)에 위치시키는 동작이 효과적이다.

	㉠	㉡	㉢		㉠	㉡	㉢
①	좁히고	높이고	안	②	좁히고	높이고	밖
③	넓히고	낮추고	안	④	넓히고	낮추고	밖

심화문제

18 경기력 향상을 위해 무게중심을 효과적으로 활용하는 상황이 아닌 것은?

■단거리 스타트는 빨리 출발해야 하는데, 그러려면 자세가 불안정해야 한다. 그래서 출발 직전에 엉덩이를 높이 든다.

① 높이뛰기 선수가 바를 효과적으로 넘기 위해 배면뛰기 기술을 구사한다.
② 레슬링 선수가 안정성 증가를 위해 무게중심을 낮춘다.
③ 단거리 크라우칭 스타트(crouching start) 시 빠른 출발을 위해 무게중심을 낮춘다.
④ 배구 스파이크 시 타점을 높이기 위해 무게중심을 높인다.

정답 15 : ④, 16 : ③, 17 : ③, 18 : ③

19 **불안정할수록 유리한 종목자세에 따른 역학적 요인으로 올바른 것은?**

① 유도의 방어자세 : 기저면을 좁히고, 몸의 무게중심을 낮춘다.
② 씨름의 방어자세 : 기저면을 넓히고, 몸의 무게중심을 높인다.
③ 레슬링의 방어자세 : 무게중심이 기저면의 가장자리에 위치하게 한다.
④ 육상의 100미터 크라우칭 스타트 자세 : 무게중심이 진행방향의 기저면 가장자리에 위치하게 한다.

■ 육상의 크라우칭 스타트 자세는 가장 불안정한 자세여야 한다.

20 **인체의 안정성과 관련이 가장 적은 것은?**

① 무게중심의 높이 ② 근력 ③ 기저면의 크기 ④ 마찰력

■ 노인들이 잘 넘어지는 것은 근력이 약하기 때문이다. 얼음판 위에서 불안정한 것은 마찰력 때문이다. ①, ②, ③, ④ 중 관련이 가장 적은 것은 근력이다.

필수문제

21 **인체 지레에 관한 설명으로 옳은 것은?**

① 1종 지레는 힘점이 받침점과 작용점 사이에 있다.
② 2종 지레는 작용점이 힘점과 받침점 사이에 있다.
③ 3종 지레는 받침점이 힘점과 작용점 사이에 있다.
④ 인체 지레의 대부분은 2종 지레에 해당되어 힘에서 이득을 본다.

■ 인체의 경우
· 분절→지렛대
· 힘점→근육의 정지점
· 작용점→움직이는 분절의 무게중심
· 받침점→운동하는 관절
■ 인체지레의 종류(pp. 23~24) 참조.

필수문제

22 **그림에서 인체 지레의 구성으로 바르게 묶인 것은?**

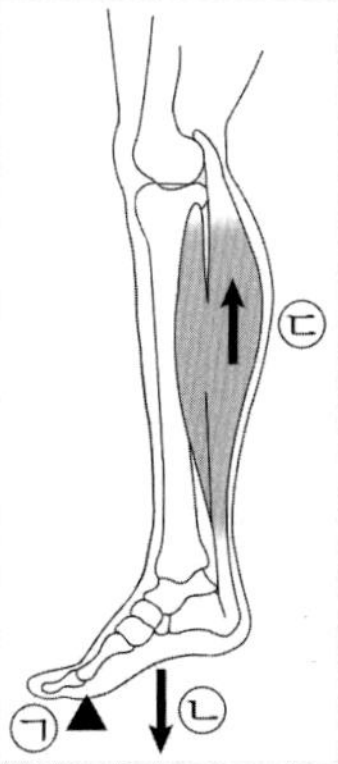

	㉠	㉡	㉢
①	받침점	힘점	저항점
②	저항점	받침점	힘점
③	받침점	저항점	힘점
④	힘점	저항점	받침점

■ 그림은 받침점이 한쪽 끝에 있고 저항점이 가운데에 있는 2종 지레이다(㉠은 받침점, ㉡은 저항점, ㉢은 힘점).
※ 참고 : 인체 지레의 종류(pp.23~24) 참조

심화문제

23 **목뼈(경추: cervical vertebrae) 1번 관절에서 위쪽등세모근(상부승모근: upper trapeziusmuscle)의 근력과 머리 하중이 형성하는 지레의 종류는?**

① 1종 지레 ② 2종 지레 ③ 3종 지레 ④ 해당사항 없음

■ 신체의 중심 부근에 있는 인체지레는 대부분 1종지레이다(그래야 몸통을 전후좌우로 자유롭게 움직일 수 있다).

정답 19 : ④, 20 : ②, 21 : ②, 22 : ③, 23 : ①

24 다음 보기에서 설명하는 인체지레의 종류로 올바른 것은?

> 보기
> 물체의 저항점이 힘의 작용점과 회전축 사이에 있으며, 힘팔이 저항팔보다 항상 긴 구조를 갖는다. 예) 엎드려 팔굽혀 펴기

■ 2종지레는 저항점이 가운데에 있고, 힘팔이 저항팔보다 항상 길다.

① 1종지레 ② 2종지레
③ 3종지레 ④ 4종지레

25 시소의 중심으로부터 1.50m지점에 몸무게가 500N의 사람이 앉아 있다. 몸무게가 600N인 사람이 반대편에 앉아 시소의 평형을 유지하기 위해서는 시소의 중심으로부터 몇 m지점에 앉아야 하는가?

■ 500×1.5=600×?

① 1.20m ② 1.25m
③ 1.30m ④ 1.35m

26 인체 지레에 대한 설명이다. 틀린 것은?

■ 인체지레의 99%가 3종지레다.

① 받침점이 중앙에 있으면 1종지레이다.
② 저항점이 중앙에 있으면 2종지레이다.
③ 힘점이 중앙에 있으면 3종지레이다.
④ 인체에 가장 많이 있는 것은 1종지레이다.

27 지렛대 원리에 대한 설명으로 틀린 것은?

> 보기
> 힘점 : Force (F) 축 : Axis (A) 작용점 : Resistance (R)

■ 축이 가운데에 있으면 1종지레, 축이 한쪽 끝에 있으면서 저항점에 가까우면 2종지레, 힘점에 가까우면 3종지레

① 지면에서 수직으로 발뒤꿈치 들고 서기(calf raise)는 인체의 2종 지렛대 원리이다.
② 2종 지레는 작용점(R)이 축(A)과 힘점(F)사이에 있다.
③ 3종 지레는 축(A)이 힘점(F)과 작용점(R) 사이에 있다.
④ 시소(seesaw)의 구조는 축(A)이 힘점(F)과 작용점(R) 사이에 있는 1종 지렛대 원리이다.

정답 24 : ②, 25 : ②, 26 : ④, 27 : ③

28 **그림에서 카누선수가 보트 위에서 오른손으로 패들의 끝을 잡고, 왼손으로 패들을 잡고 당기는 순간에 적용되는 지레는?**

① 1종 지레　　② 2종 지레
③ 3종 지레　　④ 1종과 2종 지레의 혼합

■ 1종지레 : 힘점–받침점–작용점
■ 2종지레 : 받침점–작용점–힘점
■ 3종지레 : 작용점–힘점–받침점

29 **3종 지레에 관한 설명으로 옳지 않은 것은?**

① 팔꿈치 굽힘(굴곡, flexion) 동작은 3종 지레의 특성으로 이해할 수 있다.
② 기계적 확대율(mechanical advantage)은 1보다 크다.
③ 받침점(회전중심)을 기준으로 저항점 위치가 힘점의 위치보다 더 멀다.
④ 관절의 평형상태를 유지하기 위해 저항력보다 더 큰 근력이 요구된다.

■ 기계적 확대율은 지레 · 도르래 · 수압기 등에 의한 힘의 확대율인데, 3종지레의 그것은 1보다 작다.

30 **골프 스윙동작에 대한 설명이다. 틀린 것은?**

① 힘에 손해를 본다.
② 속도에 이득을 본다.
③ 1종지레이다.
④ 일 또는 에너지에 손해도 이득도 없다.

■ 골프의 스윙동작은 3종지레이다.

정답 28 : ③, 29 : ②, 30 : ③

04 Chapter 운동학의 스포츠 적용

선운동의 운동학적 분석

1 거리와 변위

거리(길이)	물체가 한 곳에서 다른 곳까지 이동한 길이, 즉 그 물체가 이동한 궤적의 총길이. 크기를 나타내는 스칼라량.
변위	거리의 크기에 방향성을 더한 물리량. 그 물체의 이동시작점과 종점 사이의 직선거리. 크기와 방향을 나타내는 벡터량.

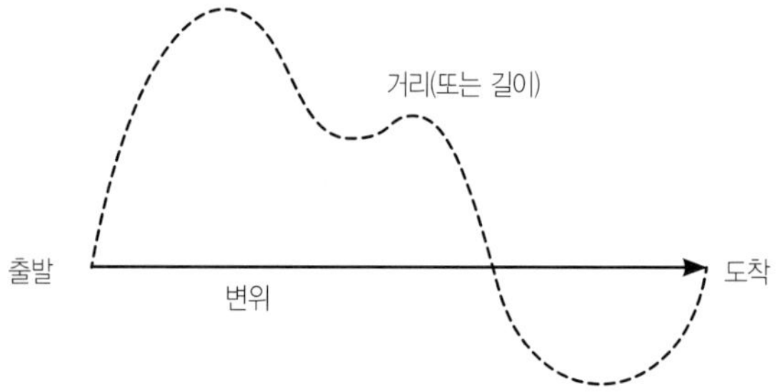

▶ 벡터와 스칼라

벡터(vector)	방향과 크기가 모두 있는 것.
스칼라(scalar)	방향은 없고 크기만 있는 것.

▶ 단위의 크기

☞ MKS 단위계에서 기본단위인 미터(m)를 생각하여 보자. 지구에서 은하계까지의 거리를 미터로 나타낸다면 숫자가 너무 커서 읽기 어려울 것이고, 세포의 반지름을 미터로 나타낸다면 숫자가 너무 적어서 읽기 어려울 것이다.

☞ 그래서 숫자가 너무 크거나 작지 않게 만들기 위해서 기본단위의 1,000배가 되면 k자를 붙여서 km, 기본단위의 1/1,000배가 되면 m자를 붙여서 mm로 나타내기로 정했다.

☞ 다음 표는 배수를 나타내는 접두어들을 모아놓은 것이다.

배수	접두어	약자	배수	접두어	약자
10배	deca	da, Da	1/10배	deci	d
100배	hecto	h, H	1/100배	centi	c
1,000배	kilo	k, K	1/1,000배	milli	m
10^{6}배	mega	M	10^{-6}배	micro	μ
10^{9}배	giga	G	10^{-9}배	nano	n
10^{12}배	tera	T	10^{-12}배	pico	p
10^{15}배	peta	P	10^{-15}배	femto	f
10^{18}배	exa	E	10^{-18}배	atto	a

2 속력과 속도

속력	» 이동한 거리를 걸린 시간으로 나누어서 계산한다. 거리와 시간이 모두 스칼라이므로 속력도 스칼라이다. 단위는 '거리(m)/시간(s)'이다. $속력=\frac{이동한\ 거리}{걸린시간}$
속도	» 이동한 변위를 걸린 시간으로 나누어서 계산한다. 변위가 벡터이기 때문에 속도도 벡터이다. 즉, 속도는 반드시 방향을 말해주어야 한다. 속도도 단위는 '거리(m)/시간(s)'이다. $속도=\frac{이동한\ 변위}{걸린시간}$ » 물체가 이동한 궤적이 직선일 때에는 속력과 속도의 크기가 같다.
평균속력과 평균속도	» 몇 시간 동안에 이동한 거리(또는 변위)를 시간으로 나누어서 속력(또는 속도)을 계산하였다고 하자. 몇 시간 동안을 줄곧 같은 빠르기로 달렸다고 생각하는 사람은 아무도 없을 것이므로 그때 계산해서 나온 속력(또는 속도)을 평균속력(또는 평균속도)이라고 한다.
순간속력과 순간속도	» 만약 0.001초 동안 이동한 거리(또는 변위)를 시간으로 나누어서 속력(또는 속도)을 계산하였다고 하자. 0.001초 동안은 아주 짧은 순간이기 때문에 그때 계산해서 나온 속력(또는 속도)은 순간속력(또는 순간속도)이라고 한다. » 그 짧은 순간 이동한 경로가 곡선이라고 생각하는 사람은 없을 것이므로 직선을 이동한 셈이고, 그러면 순간속력과 순간속도는 같아진다. 즉 평균속력과 평균속도는 대부분 크기가 다르지만 순간속력과 순간속도는 무조건 크기가 같다.

3 가속도

☞ 옥상에서 돌을 가만히 떨어뜨리면 떨어지는 속도가 점점 빨라지고, 운동장에서 공을 위로 차면 올라가는 속도가 점점 느려진다. 위와 같이 속도가 점점 빨라지거나 점점 느려지는 것을 한마디로 '속도가 점차적으로 변한다'고 한다.

☞ '속도가 점차적으로 변한다.'는 것을 다른 말로 '가속도가 있다.'고 한다. 다시 말해서 '가속도가 있다.'는 것은 '속도가 변화한다.' 라는 뜻이다.

☞ 속도가 변한 것을 구체적인 숫자로 이야기하려면 몇 초 동안 속도가 얼마에서 얼마로 변했다고 해야 할 것이다. 그러려면 처음속도, 나중속도, 속도가 변하는 데 걸린 시간을 알아야 한다.

☞ 그래서 가속도= (나중속도−처음속도)÷ 걸린 시간으로 계산한다.

☞ 더하기나 빼기를 하면 단위가 변하지 않으므로 가속도의 단위는 속도의 단위(m/s)÷시간의 단위(s)=m/s^2이 된다.

☞ 예를 들어 가속도가 $5m/s^2$이라고 하면 시간이 1초 지나갈 때마다 속도가 5m/s씩 증가한다는 뜻이다.

4 속도 변화에 따른 운동의 구분

등속도 운동	» 속도가 변하지 않는(속도가 일정한) 직선운동을 말하고 편의상 직선이라는 말은 생략한다. 원운동이나 각운동일 때는 원이나 각이라는 말을 생략해서는 안 된다. 속도가 일정하므로 **이동한 거리=속도×시간**으로 계산하면 된다.
가속도 운동	» 가속도가 있는 운동=속도가 변하는 운동. 이때도 직선이란 말을 생략한다.
감속도 운동	» 가속도가 −이어서 속도의 크기가 점점 작아지는 운동. 속도가 '빨라진다.' 또는 '느려진다.'는 말과 속도가 '증가한다.' 또는 '감소한다.'는 말은 서로 의미가 다르다.
등가속도 운동	» 가속도가 변하지 않고 일정한 운동. 가속도가 +이든 −이든 관계없이 일정하기만 하면 된다. » 가속도가 일정한 운동 = 속도가 계속해서 조금씩 변하는 운동이므로, 평균속도=제일 느린 속도와 제일 빠른 속도의 중간 또는 처음속도와 나중속도의 평균이고, **이동한 거리= 평균속도×시간**으로 계산한다.

5 투사체(포물선)의 운동

☞ 던지거나 발사한 물체의 운동이라는 뜻이다. 이동한 궤적이 포물선의 일부와 똑 같기 때문에 포물선 운동이라고도 한다.

☞ 수평방향으로 이동하는 운동과 위로 올라갔다가 내려오는 운동이 합쳐진 것이다.

☞ 수평방향으로 이동하는 운동은 공기의 저항을 무시하면 등속도 운동이다.

☞ 수직방향은 가속도가 $-9.8m/s^2$인 등가속도 운동이다.

☞ 올라가는 동안에는 속도가 점점 느려지고, 내려오는 동안에는 점점 빨라진다.

☞ 그러므로 정점에서 수직방향의 속도는 0이고, 수평방향의 속도는 처음에 던질 때와 같다.

☞ 물체의 높이가 바닥의 높이와 같아지면 착지한 것이므로 더 이상 이동하지 않는다.

6 투사체의 궤적과 관련이 있는 요인들

투사각도	» 처음에 던질 때 수평방향의 속도와 수직방향의 속도의 비율에 따라서 투사각도가 정해진다. » 수평방향의 속도와 수직방향의 속도가 같으면 투사각도가 45도가 된다. 그러면 최고점에 도달했을 때의 높이는 그때까지 수평으로 이동한 거리의 반이 된다. 결과적으로 **최고점의 높이×4** 한 지점에 떨어진다. » 수평방향의 속도가 수직방향의 속도보다 더 크면 투사각도가 45도보다 작아진다. 그러면 수평방향으로 이동은 빨리빨리 하지만 공중에 떠 있을 수 있는 시간이 짧기 때문에 45도일 때보다 가까운 지점에 빨리 떨어진다. » 수직방향의 속도가 수평방향의 속도보다 더 크면 투사각도가 45도보다 커진다. 그러면 공중으로 높이 올라가서 공중에 떠 있는 시간은 길어지지만 수평방향으로 이동하는 속도가 너무 느리기 때문에 45도일 때보다 가까운 지점에 늦게 떨어진다. » **수직방향 이동거리=평균속도×시간**

투사높이	» 공이 손에서 떨어지는 순간 지면에서 공까지 높이를 투사높이라고 한다. 그러나 투사높이는 공이 떨어지는 지점이 지면보다 낮게 파여 있는 것과 똑 같은 효과가 있기 때문에 보통은 공이 손에서 떨어지는 순간의 높이와 공이 땅에 떨어지는 지점의 높이 차이를 투사높이라고 한다. » 투사높이가 높으면 높은 산에 올라가서 계곡으로 공을 던지는 것과 같기 때문에 더 멀리 날아가서 땅에 떨어진다. 반대로 언덕 위를 향해서 던지면(투사높이가 낮으면) 조금밖에 못 날아가서 땅에 떨어진다.
투사속도	» 투사각도와 투사높이가 같다면 당연히 투사속도가 빠를수록 멀리까지 날아갈 수 있다. 투사속도를 증가시키는 것이 가장 어렵기 때문에 야구에서 던진 공의 최대속도가 빠를수록 투수의 몸값이 비싸지게 된다.

각운동의 운동학적 분석

1 각도법과 호도법

각도법	» 원의 중심각을 0도 ~ 360도로 나타내는 방법.
호도법	» 호의 길이가 반지름의 몇 배인가로 원의 중심각을 나타내는 방법. » 도와 구분하기 위해서 단위를 라디안이라고 한다. » 결과적으로 원의 중심각을 0라디안 ~ 2π 라디안으로 나타낸다. » 호도법을 사용하면 계산이 간편하기 때문에 과학에서는 호도법을 사용한다.

2 각거리와 각변위

각거리	» 각도와 같은 의미로, 두 직선 사이의 각도를 도 또는 라디안으로 측정한 것. » 일반적으로 두 직선 사이의 각도 중 작은 각도를 말하지만, 의학에서는 큰 각도를 측정하는 경우도 있다. » 각거리는 항상 360도(2파이 라디안)보다 작다. » 각도는 어느 방향으로 측정했는지 말할 필요가 없기 때문에 스칼라이다.
각변위	» 물체가 이동한 궤적의 처음에서 마지막까지의 직선거리(벡터량) » 시계 방향으로 회전된 각변위는 음(−)의 값 » 반시계 방향으로 회전된 각변위는 양(+)의 값 » 각변위는 360도(2파이 라디안)보다 더 클 수도 있다.

3 각거리와 각변위

각속력	$\frac{\text{각거리}}{\text{소요시간}}$(이때 각거리는 0~360도) *스칼라량
각속도	$\frac{\text{각변위}}{\text{소요시간}}$ *벡터량
순간가속도	각속도와 각속력의 크기가 같을 때

각가속도	$\frac{\text{나중각속도} - \text{처음각속도}}{\text{소요시간}}$ *운동역학에서는 '각가속도=0'인 운동(각속도가 일정한 운동)만 취급한다.

4 선속도와 각속도의 관계

선속도 : 일차원운동에서 시간에 대한 위치의 변화율

$$\text{각속도}(\omega) = \frac{\text{회전각}(\theta)}{\text{단위시간}(t)} = rad/s$$

$$\text{선속도}(v) = \frac{\text{이동거리}(s)}{\text{시간}(t)} = r\omega = \text{반지름} \times \text{각속도}$$

필수 및 심화 문제

필수문제

01 선운동(linear motion)에 대한 설명으로 옳은 것은?

① 거리(distance)는 두 지점을 잇는 최단 경로이다.
② 변위(displacement)는 시작점에서 끝점까지의 누적된 이동궤적의 총합이다.
③ 속력(speed)은 스칼라량으로 방향만 가지고 있다.
④ 속도(velocity)는 벡터량으로 크기와 방향을 가지며 변위를 경과시간으로 나눈 것을 말한다.

■ ①과 ②는 설명이 바뀌었고, 속력은 방향이 없고 크기는 있다.
■ **거리** : 물체가 한 곳에서 다른 곳으로 이동한 길이. 즉 그 물체가 이동한 궤적의 총 길이. 스칼라량
■ **변위** : 거리의 크기에 방향을 더한 물리량. 그 물체의 이동 시작점과 종점 사이의 직선거리. 벡터량
■ **속력** : 일정 시간 동안 이동한 거리로 물체의 빠르기를 나타내는 것. 스칼라량.

심화문제

02 거리와 변위를 설명한 것 중 바른 것은?

① 거리와 변위는 똑같이 스칼라량이다.
② 400m 곡선 트랙을 달릴 경우 거리와 변위는 모두 400m이다.
③ 거리는 벡터량이고, 변위는 스칼라량이다.
④ 거리는 단지 크기만을 가지고 있고, 변위는 크기와 방향을 모두 가지고 있다.

■ 거리는 스칼라, 변위는 벡터이다.

03 다음 보기 중 괄호 안에 들어갈 용어를 바르게 나열한 것은?

보기
(㉠)은(는) 단위시간에 움직인 거리를 나타내는 (㉡)량이고, (㉢)는(은) 단위시간에 움직인 변위를 나타내는 (㉣)량이다.

① ㉠ 속력 ㉡ 벡터 ㉢ 속도 ㉣ 스칼라
② ㉠ 속도 ㉡ 벡터 ㉢ 속력 ㉣ 스칼라
③ ㉠ 벡터 ㉡ 속력 ㉢ 스칼라 ㉣ 속도
④ ㉠ 속력 ㉡ 스칼라 ㉢ 속도 ㉣ 벡터

■
속력= $\frac{거리}{시간}$(스칼라량)
속도= $\frac{변위}{시간}$(벡터량)

정답 01 : ④, 02 : ④, 03 : ④

■저항력 분석은 운동역학적 분석임.
■**운동학**(kinematics) : 운동의 변위, 속도, 가속도, 무게중심, 관절각도 등과 같이 움직이는 동작을 연구함.
■**운동역학**(kinetics) : 움직이는 동작뿐만 아니라 동작의 원인이 되는 힘까지 연구함.

필수문제

04 수영 동작의 운동학(kinermatics)적 분석이 아닌 것은?

① 저항력(drag force) 분석
② 턴 거리(tum distance) 분석
③ 스트로크 길이(stroke length) 분석
④ 추진 속도(propelling velocity) 분석

심화문제

05 거리란 물체의 처음 위치부터 마지막 위치까지의 운동경로에 따른 길이의 측정치를 의미한다. 그렇다면 처음 위치부터 마지막 위치로의 방향과 직선거리를 나타내는 벡터를 무엇이라 하는가?

■변위와 거리의 정의(p. 32) 참조.

① 스칼라
② 변위
③ 위치
④ 궤적의 길이

■벡터는 크기와 방향이 있고, 스칼라는 크기만 있는 것이다. 그러므로 가속도는 벡터에 해당한다.
■속력 · 비거리 · 위치에너지는 모두 스칼라량이다.

필수문제

06 골프 수행에 관한 변인 중 벡터(vector)에 해당하는 것은?

① 골프공의 속력(speed)
② 골프공의 비거리(distance)
③ 골프클럽의 가속도(acceleration)
④ 골프공의 위치에너지(potential energy)

■**골프 스윙에서 클럽헤드의 선속도를 증가시키는 방법**
· 임팩트 전에 팔꿉관절을 굽혀 손목의 코킹으로 질량을 회전축에 가깝게 하여 각속도를 증가시킨다.
· 임팩트 직전에 팔꿈치를 펴고 언코킹(un-cocking)으로 회전반경(회전반지름)을 증가시킨다.
① 임팩트 이전부터 회전반경을 최대한 크게 하면 선속도를 증가시킬 수 없다.

심화문제

07 골프 스윙 동작에서 임팩트 시 클럽헤드의 선속도를 증가시키는 방법으로 옳지 않은 것은?

① 스윙 탑에서부터 어깨관절을 축으로 회전반지름을 최대한 크게 해서 빠른 몸통회전을 유도한다.
② 임팩트 전까지 손목 코킹(cocking)을 최대한 유지하여 빠른 몸통회전을 유도한다.
③ 임팩트 시점에는 팔꿈치를 펴서 회전반지름을 증가시킨다.
④ 임팩트 시점에는 언코킹(uncocking)을 통해 회전반지름을 증가시킨다.

정답 04 : ①, 05 : ②, 06 : ③, 07 : ①

08 보기에 있는 변인 중에서 스칼라량만을 모두 고르시오.

보기						
㉠ 질량	㉡ 거리	㉢ 변위	㉣ 시간	㉤ 속도	㉥ 속력	㉦ 가속도

① ㉠㉡㉢㉣　　② ㉠㉡㉣㉥

③ ㉢㉣㉤㉥　　④ ㉠㉢㉤㉦

■ 스칼라량은 방향은 없고 크기만 있는 것이다.

09 거리(distance)와 변위(displacement)에 대한 설명으로 옳지 않은 것은?

① 거리 : 물체가 실제로 이동한 경로를 따라 측정한 거리

② 거리 : 스칼라량으로써 크기만 존재

③ 변위 : 벡터량으로써 크기만 존재

④ 변위 : 두 지점을 잇는 최단 직선거리

■ 벡터량은 반드시 방향이 있어야 한다.

10 운동역학에서 기본 물리량의 국제단위계(SI단위계)로 바르지 않은 것은?

① 시간(s)　　② 속도(m/s^2)

③ 길이(m)　　④ 질량(kg)

■ 길이 · 질량 · 시간이 기본 물리량이다.

■ 속도는 2개 이상의 기본물리량을 곱하거나 나눈 것이므로 유도 물리량이다.

11 다음 설명 중에서 틀린 것은?

① 속력은 크기와 방향이 있다.

② 속력은 이동거리/시간으로 계산한다.

③ 가속도는 단위 시간당 속도의 변화율이다.

④ 가속도의 단위는 m/s^2이다.

■ 속력은 스칼라량(방향은 없고 크기만 있는 것)이다.

필수문제

12 길이 50 m 수영장에서 자유형 100 m 경기기록이 100초였을 때 평균속력과 평균속도는? (단, 출발과 도착 지점이 동일하다고 가정)

① 평균속력 : 1 m/s, 평균속도 : 1 m/s

② 평균속력 : 0 m/s, 평균속도 : 0 m/s

③ 평균속력 : 1 m/s, 평균속도 : 0 m/s

④ 평균속력 : 0 m/s, 평균속도 : 1 m/s

■ 평균속력$=\frac{100}{100초}$ $=1(m/s)$

■ 평균속도$=\frac{0}{100초}$ $=0(m/s)$

정답　08 : ②, 09 : ③, 10 : ②, 11 : ①, 12 : ③

심화문제

13 **400m 트랙 한 바퀴를 50초에 달린 육상선수의 평균속력과 평균속도로 적절한 것은?(단, 출발점과 도착점의 위치가 같음)**

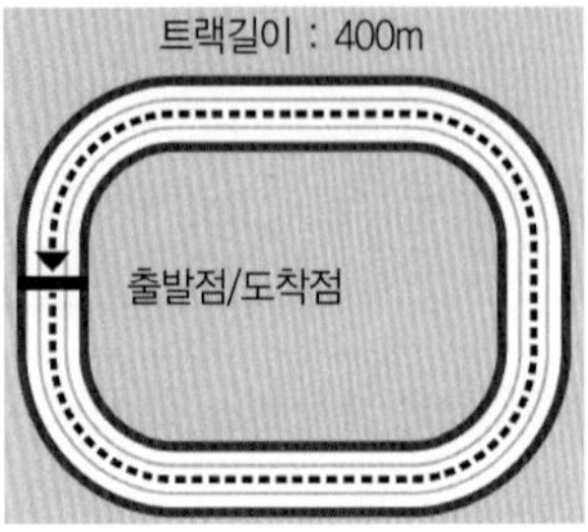

■ 평균속력 $= \frac{400m}{50초} = 8m/s$

■ 평균속도=0(출발점과 도착점이 같아 선수가 달린 변위는 0km이므로)

	평균속력(m/s)	평균속도(m/s)
①	0	8
②	0	0
③	8	0
④	8	8

14 **100m 달리기에서 속도와 가속도에 대한 설명이다. 진행방향을 +로 잡았을 때 틀린 것은?**

■ 속도가 −이면 반대방향으로 간다.

① 결승선을 통과한 후에 천천히 달릴 때의 속도는 −이다.
② 속도가 일정하게 유지되는 동안에는 가속도가 0이다.
③ 출발 후 속도가 급격하게 빨라질 때 가속도는 +이다.
④ 결승선 가까이에서 속도가 줄 때는 가속도가 −이다.

■ 일정한 힘을 가했으므로 가속도가 일정하다. 가속도가 일정하므로 힘을 가한 시간과 이동속도는 정비례한다.

15 **컬링경기에서 스톤을 원하는 위치로 보내려고 일정한 힘을 가하면서 천천히 밀었다. 이때 힘을 가한 시간과 정비례하는 것은?**

① 이동거리 ② 이동속도
③ 스톤의 질량 ④ 마찰력

■ 평균속도 $= \frac{이동한\ 변위}{걸린\ 시간}$

16 **단거리 선수가 100m를 10초에 달렸다면 평균속도는 얼마인가?**

① 5m/s ② 10m/s
③ 15m/s ④ 20m/s

정답 13 : ③, 14 : ①, 15 : ②, 16 : ②

필수문제

17 보기의 그래프에 대한 설명으로 옳은 것은?

보기

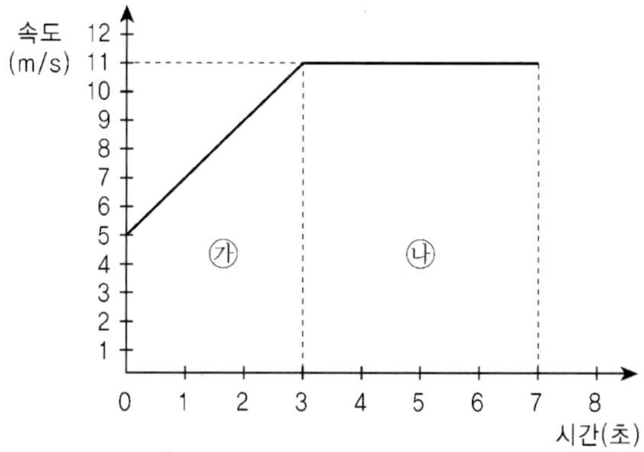

① ㉮구간의 가속도가 ㉯구간의 가속도보다 크다.
② ㉮구간의 가속도는 증가한다.
③ ㉯구간의 가속도는 1m/s이다.
④ ㉯구간은 정지한 상태이다.

■ 가속도= $\frac{\text{나중속도}-\text{처음속도(m/s)}}{\text{걸린시간(s)}}$

■ ① ㉮구간의 가속도는 2m/s^2이고, ㉯구간의 가속도는 0m/s^2이다.

■ ② ㉮구간은 가속도가 일정한 등가속도 운동상태이다.

■ ③ ㉯구간의 가속도는 0m/s^2이다.

■ ④ ㉯구간은 등속도 운동상태이므로 가속도가 0이다.

심화문제

18 가속도에 대한 설명으로 옳은 것은?

① 가속도는 시간의 변화에 따른 변위의 변화 정도이다.
② 가속도의 단위는 m/s이다.
③ 가속도의 방향은 속도의 방향과 항상 같다.
④ 가속도의 방향은 합력의 방향과 항상 같다.

■ ① 시간의 변화에 따른 변위의 변화 정도는 속도이다.

■ ② 가속도의 단위는 m/s^2이다.

■ ③ 가속도의 방향과 속도의 방향이 다른 경우도 많다.

19 힘(force)의 개념에 대한 설명으로 옳지 않은 것은?

① 힘의 단위는 N(Newton)이다.
② 힘은 합성과 분해가 가능하다.
③ 힘이 작용한 반대 방향으로 가속도가 발생한다.
④ 힘의 크기가 증가하면 그 힘을 받는 물체의 가속도가 증가한다.

■ ③ 가속도는 「(나중속도-처음속도)÷걸린시간」으로 계산하는데, 힘이 작용한 반대 방향으로는 가속도가 발생할 수 없다.

정답 17 : ①, 18 : ④, 19 : ③

20 **보기는 200m 달리기 경기에서 경과시간에 따른 평균속도 변화이다. 이에 관한 설명으로 옳지 않은 것은?**

보기

경과시간(초)	0	1	3	5	7	9	11	13	15	17	19	21	23
평균속도(m/s)	0	2.4	8.4	10	10	9.6	9.5	8.9	8.7	8.6	8.5	8.4	8.3

① 평균가속도가 0인 구간이 존재한다.
② 처음 1초 동안 2.4 m를 이동하였다.
③ 후반부의 평균속도는 감속되고 있다.
④ 최대 평균가속도는 5초와 7초 사이에 나타난다.

■ 가속도= $\frac{\text{나중속도}-\text{처음속도}}{\text{걸린시간}}$
■ 보기에서 속도의 변화가 가장 큰 구간은 1~3초로 6m/s이므로 가속도는 3m/s²이다. 따라서 보기에서 최대평균가속도 구간은 1~3초 사이이다.

21 **학교 옥상에 올라가서 돌을 수직방향으로 30m/s의 속도로 던졌더니 5초 후에 운동장에 떨어졌다. 3초 후의 수직방향 속도는(단, 공기저항은 무시한다)?**

① 30m/s ② 3×30m/s
③ 9.8m/s ④ 3×9.8m/s

■ 수평방향은 등속도 운동을 하지만, 수직방향은 등가속도 운동을 한다.

22 **위 문제에서 3초 동안에 날아간 수평거리는(단, 공기저항은 무시한다)?**

① 30m ② 3×30m
③ 9.8m ④ 3×9.8m

■ 이동한 거리= 평균속도×시간= 3×30m

23 **위 문제에서 3초 동안에 떨어진 수직거리는?**

① 30m ② 3×30m
③ (1/2)×9.8×9m ④ (1/2)×30×9m

■ $H=1/2gt^2$이므로 $1/2\times9.8\times3^2$m가 된다.

24 **학교 옥상에 올라가서 돌을 수평방향으로 30m/s의 속도로 던졌더니 5초 후에 운동장에 떨어졌다. 3초 후의 수평방향 속도는(단, 공기저항은 무시한다)?**

① 30m/s ② 3×30m/s
③ 9.8m/s ④ 3×9.8m/s

■ 수평방향은 등속도 운동을 한다.
■ 물체의 이동궤적이 직선(수평방향)일 때는 속력과 속도의 크기가 같다.

25 **물체가 등속도 원운동을 하고 있다. 가속도의 방향은?**

① 회전하는 방향 ② 회전하는 반대방향
③ 원의 중심방향 ④ 중심에서 멀어지는 방향

■ 등속도원운동은 등가속도운동이고, 가속도의 방향은 항상 원의 중심방향이다.

정답 20 : ④, 21 : ④, 22 : ②, 23 : ③, 24 : ①, 25 : ③

26 물체에 작용하는 외력의 합이 0이 아닌 것은?

① 등속도 직선운동을 하고 있을 때
② 배가 물에 떠 있을 때
③ 자동차가 점점 더 천천히 가고 있을 때
④ 비행기가 일정한 높이에서 같은 속도로 날아가고 있을 때

■ 등속도운동은 가속도가 0이므로 힘이 없다는 뜻하고, 배가 물에 떠 있을 때는 부력=중력이다.

필수문제

27 원반던지기의 투사거리에 중요한 영향을 미치는 3가지 요소는?

① 투사각도 - 투사속도 - 투사높이
② 투사속도 - 조파항력 - 부력
③ 투사높이 - 부력 - 투사속도
④ 조파항력 - 투사각도 - 투사속도

■ 투사체의 투사거리에 영향을 미치는 요소는 투사높이, 투사각도, 투사속도이다.

심화문제

28 공의 포물선 운동에 대한 설명으로 옳지 않은 것은? (단, 공기저항은 무시함)

① 공의 속력은 항상 일정하다.
② 공의 수평가속도는 $0m/s^2$이다.
③ 공의 수직가속도는 중력가속도와 같다.
④ 공의 투사각도는 투사거리에 영향을 미친다.

■ 공이 포물선 운동을 할 때 속력이 항상 일정한 것은 아니다.

필수문제

29 투사체 운동에 대한 설명으로 옳은 것은? (단, 공기저항은 고려하지 않음)

① 투사체에 작용하는 외력은 존재하지 않는다.
② 투사체의 수평속도는 초기속도의 수평성분과 크기가 같다.
③ 투사체의 수직속도는 9.8 m/s로 일정하다.
④ 투사높이와 착지높이가 같을 경우, 38.5°의 투사각도로 던질 때 최대의 수평거리를 얻을 수 있다.

■ ① 투사체의 운동에서 수직방향으로 외력이 작용하고, 수평방향으로는 공기의 저항력이 작용한다.
■ ③ 투사체의 수직방향 가속도는 $9.8m/s^2$이다.
■ ④ 투사점과 착지점의 높이가 같을 경우 외력이 작용하지 않으면 45°에서 최대 투사거리를 얻을 수 있다.

심화문제

30 투사체의 운동에 대한 설명이다. 틀린 것은?

① 수직방향으로는 중력이 작용하고, 수평방향으로는 공기의 저항력이 작용한다.
② 수직방향의 가속도는 $9.8m/s^2$이고, 공기의 저항을 무시하면 수평방향의 가속도는 0이다.
③ 정점에서 수직방향의 속도는 무조건 0이지만, 수평방향의 속도는 0이 아니다.
④ 수직방향, 수평방향 모두 등가속도운동이다.

■ 투사체는 수직방향으로는 등가속도운동을 하고, 수평방향으로는 등속도운동을 한다.

정답 26 : ③, 27 : ①, 28 : ①, 29 : ②, 30 : ④

31 포물선 운동에 대한 설명이다. 틀린 것은?

① 투사거리는 투사속도, 투사각도, 투사높이에 의해서 결정된다.
② 투사높이가 높을수록 최적투사각도를 높여야 투사거리가 증가한다.
③ 투사속도가 빠를수록 투사거리도 증가한다.
④ 투사점보다 착지점의 높이가 낮으면 최적투사각도는 45도보다 작아진다.

■ 투사높이가 높으면 투사각도를 낮추어야 최대 투사거리가 나온다.

32 농구 자유투의 투사체 운동에 대한 설명으로 옳은 것은(공기저항을 무시함)?

① 농구공 무게중심의 가속도는 수직하방으로 작용하는 중력가속도이다.
② 농구공 무게중심의 수평 가속도는 $0m/s^2$이 아니다.
③ 농구공 무게중심의 속력(speed)은 일정하다.
④ 농구공 무게중심의 수평속도는 최고점에서 0m/s가 된다.

■ ② 농구공 무게중심의 수평가속도는 $0m/s^2$이다.
■ ③ 농구공 무게중심의 속력은 공의 위치에 따라 다르다.
■ ④ 농구공 무게중심의 수직속도는 최고점에서 0m/s이다.

필수문제

33 각운동에 관한 내용으로 옳은 것은?

① 접선속도(선속도)=반지름×각속도에서 각속도의 단위는 도(degree)이다.
② 라디안은 반지름과 호의 길이의 비율로 계산한다.
③ 지름(회전반경)의 크기가 커지면 1라디안(radian)의 크기는 커진다.
④ 360도는 2라디안이다.

〈호도법〉

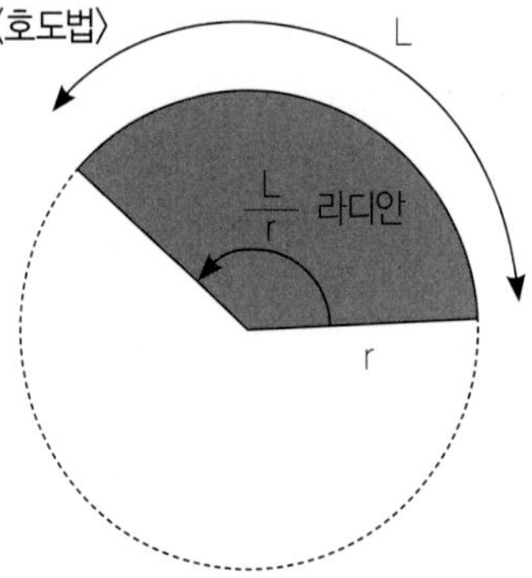

■ ① 각속도는 벡터량이고, '각변위÷소요시간'으로 계산한다. 단위는 rad/sec, deg/sec, rpm 등이다.
■ ③ 1rad은 각의 크기이며, 반지름의 길이와 호의 길이가 같을 때 그 부채꼴의 각이 1rad이다.
■ ④ 360°는 2πrad이다.

심화문제

34 라디안에 대한 설명이다. 틀린 것은?

① 반지름각(radius+angle=radian)이라는 뜻이다.
② 호의 길이가 반지름의 길이와 똑 같을 때의 중심각이 1라디안이다.
③ 1바퀴는 2π rad과 같다.
④ 각거리는 도(°)로로 나타내야 하고, 각변위는 라디안으로 나타내야 한다.

■ 운동역학에서는 각거리와 각변위 모두 라디안으로 나타내야 한다. 다만 우리가 초등학교 때부터 도를 써왔기 때문에 습관적으로 도를 쓸 뿐이다.

정답 31 : ②, 32 : ①, 33 : ②, 34 : ④

필수문제

35 각운동에 대한 설명으로 옳지 않은 것은?

① 각속도(angular velocity)는 각변위를 소요시간으로 나눈 값이다.
② 각가속도(angular acceleration)는 각속도의 변화를 소요시간으로 나눈 값이다.
③ 1라디안(radian)은 원(circle)에서 반지름과 호의 길이가 같을 때의 각으로 57.3°이다.
④ 시계 방향으로 회전된 각변위(angular displacement)는 양(+)의 값으로 나타내고, 반시계 방향으로 회전된 각변위는 음(-)의 값으로 나타낸다.

■ 각운동 : 물체가 회전축의 둘레를 일정한 거리를 둔 채 도는 운동
■ 시계방향으로 회전된 각변위는 음(−)의 값으로, 반시계방향으로 회전된 각변위는 양(+)의 값으로 나타낸다.

심화문제

36 각운동에 대한 설명으로 옳은 것은?

① 직선 경로로 움직이는 운동과 축을 중심으로 회전하는 운동이 복합된 운동 형태
② 물체나 신체를 구성하는 모든 질점(particle)의 경로가 평행하게 곡선을 이루는 운동 형태
③ 물체나 신체를 구성하는 모든 질점이 일정한 시간 동안 같은 거리, 같은 방향으로 평행하게 움직이는 운동 형태
④ 물체나 신체가 고정된 축을 중심으로 일정 시간 동안 회전하는 운동 형태

■ ①은 곡선운동, ②는 병진운동, ③은 직선운동이다.

필수문제

37 각가속도에 대한 설명으로 옳은 것은?

① 단위 시간당 속도의 변화율이다.
② 단위 시간당 각속도의 변화율이다.
③ 단위 시간당 각변위의 변화율이다.
④ 단위 시간당 각거리의 변화율이다.

■ 변위의 변화율=속도
■ 속도의 변화율=가속도
■ 각변위의 변화율=각속도
■ 각속도의 변화율=각가속도

심화문제

38 운동역학(kinetics)적 변인이 아닌 것은?

① 토크(torque)
② 각속도(angular velocity)
③ 족압력(foot pressure)
④ 양력(lift force)

■ 힘과 관련이 없는 것을 찾으면 된다.

39 스프링보드 다이빙 경기에서 공중동작 중에 팔다리를 최대한 몸쪽으로 끌어당겨서 공 같은 자세를 취했다. 다음 중 옳은 것은?

① 각도가 최대가 된다.
② 각속도가 최대가 된다.
③ 관성모멘트가 최대가 된다.
④ 토크가 최대가 된다.

■ 공중동작이므로 각운동량에는 변화가 없다. 공같이 둥근 자세를 취하면 관성모멘트가 최소가 되므로 각속도가 최대로 변한다.

정답 35 : ④, 36 : ④, 37 : ②, 38 : ②, 39 : ②

40 다음 중 옳은 것은?

■ ① 각가속도는 각속도의 변화율이고, ② 등속도운동은 속도가 일정한 운동이다. ③ 선속도는 '반지름×각속도'로 계산할 수 있다.

① 각가속도는 가속도의 변화율이다.
② 등속도운동은 가속도가 일정한 운동이다.
③ 선속도와 각속도는 아무런 관계가 없다.
④ 각속도는 각변위를 시간으로 나눈 것이다.

41 소프트볼 투수가 공을 던지는 동작의 설명으로 바르지 않은 것은?

■ 던지는 팔길이를 길게 하면 회전각속도는 변하지 않고, 선속도만 증가한다.

① 던지는 팔의 회전속도는 공의 선속도에 영향을 미친다.
② 투수의 팔 길이가 길면 공의 선속도를 증가시키는데 유리하다.
③ 공의 선속도는 던지는 팔의 길이와 팔의 각속도의 곱으로 나타난다.
④ 공을 던지는 순간 투수의 던지는 팔 길이를 길게 하면 팔의 회전 각속도는 크다.

42 다음 중 옳은 것은?

■ 모든 각도는 시계반대방향으로 측정한다. 트랙에서 달리기를 할 때에도 시계반대방향으로 돌아야 한다. 각거리는 스칼라량이다.

① 처음 위치와 마지막 위치 사이의 직선 길이가 거리이다.
② 각변위는 시계방향으로 도는 것을 +로 계산한다.
③ 각거리는 벡터량이다.
④ 각속력=각거리/시간

필수문제

■ 540도/초는 1초에 1.5바퀴 돈다. → 1바퀴는 2π 라디안이므로 1초에 3π 라디안 돈다.
■ 선속도= 반지름×각속도(라디안)=4m×3π/s=12πm/s(p. 36 참조)

43 해머를 손에 잡고 빙빙 돌릴 때 회전축에서 해머까지의 길이가 4m이었다. 해머의 회전속도가 540도/초일 때 릴리즈했다면 해머의 선속도는 얼마인가?

① 3πm/s　　② 12πm/s
③ 36πm/s　　④ 24πm/s

심화문제

44 다음 중 틀린 것은?

■ 선속도는 각도에 반지름의 길이를 곱한 값과 같다.

① 선속도=변위÷시간　　② 각속도=각변위÷시간
③ 각도(rad)=호의 길이÷반지름의 길이　　④ 선속도=각도(rad)÷반지름의 길이

45 운동 상황에서 선속도와 각속도에 대한 설명으로 옳은 것은?

■ 각속도가 동일하면 반지름이 클수록 선속도가 증가한다.

① 야구 배트 헤드의 선속도는 배트의 각속도에 반비례한다.
② 테니스 라켓의 선속도 방향은 각속도 방향과 같다.
③ 팔꿈치를 펴면 배드민턴 라켓 헤드의 선속도가 증가한다(동일한 팔회전 각속도 조건).
④ 팔 길이가 짧을수록 야구공 릴리스 선속도가 크다(동일한 팔회전 각속도 조건).

정답　40 : ④, 41 : ④, 42 : ④, 43 : ②, 44 : ④, 45 : ③

46 야구공이 야구배트의 회전축에서부터 0.5m 지점에서 타격되었다. 야구공이 타격되는 순간 배트의 각속도가 50 rad/s이면 타격지점에서 배트의 선속도는?

① 12.5 m/s　② 12.5 rad/s
③ 25m/s　④ 25 rad/s

■ 선속도=반지름×각속도=0.5m×50rad/s=25m/s

47 골프에 관한 운동학(kinematics)적 또는 운동역학(kinetics)적 개념에 관한 설명으로 옳은 것은? (단, 샤프트(shaft)는 휘어지지 않는다고 가정함.)

① 드라이버 스윙 시 헤드(head)와 샤프트의 각속도는 다르다.
② 7번 아이언 헤드의 선속도는 헤드의 각속도와 샤프트의 길이에 비례한다.
③ 골프공의 반발계수를 작게 하면 더 멀리 보낼 수 있다.
④ 샤프트의 길이가 길어지면 샤프트의 관성모멘트는 작아진다.

■ 선속도=반지름(샤프트의 길이)×각속도
① 헤드나 샤프트의 각속도는 같다.
③ 반발계수가 커야 공을 멀리 보낼 수 있다.
④ 샤프트의 길이가 길어지면 샤프트의 관성모멘트는 커진다.

48 보기 중에서 옳은 것을 모두 고르시오.

> 보기
> ㉠ 선속도의 단위는 m/s, 각속도의 단위는 rad/s이다.
> ㉡ 일정한 빠르기로 회전하고 있는 운동은 등속도 원운동이다.
> ㉢ 원운동의 선속도는 호의 길이÷시간으로 계산할 수 있다.
> ㉣ 원운동의 선속도는 반지름×각도(rad)로 계산할 수 있다.

① ㉠㉡㉢㉣　② ㉠㉡㉢　③ ㉠㉡　④ ㉡㉢

■ 원운동의 선속도는 '반지름×각속도'로 계산한다.

49 극좌표계에 대한 설명이다. 틀린 것은?

① 축점 또는 중심점에서의 거리와 기준선과 이루는 각도를 이용해서 위치를 나타낸다.
② 각도의 크기는 반드시 도(°)로 나타내야 한다.
③ 중심선에서 시계 반대방향으로 회전하는 각도를 +로 한다.
④ 회전운동을 표시할 때에 편리하다.

■ 각도의 크기는 라디안(rad)으로 나타내야 한다.

50 다음은 등속원운동에 대한 설명이다. 옳지 못한 것은?

① 일정한 빠르기로 원운동을 계속하는 것이다.
② 선속도가 일정한 운동이다.
③ 1초 동안에 회전하는 중심각이 일정한 운동이다.
④ 가속도가 있는 운동이다.

■ 일정한 빠르기로 원운동을 계속하는 것이 등속원운동이다.

정답　46 : ③, 47 : ②, 48 : ②, 49 : ②, 50 : ②

05 Chapter 운동역학의 스포츠 적용

선운동의 운동역학적 분석

1 힘의 정의와 단위

힘의 정의	물체의 모양이나 운동상태를 변화시키는 원인. 가속도의 법칙에 의하면 힘=질량×가속도
힘의 단위	힘의 단위=질량의 단위(kg)×가속도의 단위(m/s^2)=kgm/s^2=N(뉴턴)

2 힘의 벡터적 특성

힘 벡터의 개념	벡터량으로 표시함.
힘 벡터의 표기	힘 벡터는 화살표를 사용해 힘의 3요소(크기, 방향, 작용점)를 나타낸다.

3 힘의 종류

▶ 근력

ⓐ 근육의 수축에 의하여 발생하는 근육의 힘

ⓐ 최대 강축상태에서 발생하는 힘이 절대근력이다.

▶ 중력

ⓐ 물체의 질량×중력가속도

ⓐ 지구의 만유인력+자전에 의한 원심력

ⓐ 고도나 지역에 따라 크기가 다름

▶ 마찰력

ⓐ 한 물체를 움직이거나 다른 표면을 가로질러 움직일 때 언제나 일어나는 힘

ⓐ 마찰력의 종류

정지마찰력	정지해 있는 두 물체의 접촉면 사이에 있는 힘. 운동 시작을 방해하는 저항력
미끄럼마찰력	두 물체가 접촉하고 있는 상태에서 미끄러질 때 서로에 대해 발생하는 상대적 마찰력
구름마찰력	공이나 바퀴처럼 둥근 물체가 지지 또는 접촉하는 면 위를 구를 때 한쪽 또는 양쪽 물체의 형태가 접촉면에서 변형될 때 생기는 마찰력

▶ 압력

ⓐ 누르는 힘

ⓐ 전압력과 압력으로 구분

» 전압력=바닥 전체를 누르는 힘=물체의 무게
» 압력=바닥면적/m^2을 누르는 힘=전압력/바닥면적
ⓐ 파스칼의 원리

▶ 부력
ⓐ 물이나 공기 중에서 물체가 뜨는 원리
ⓐ 물이나 공기같은 유체에 잠긴 물체가 받는 힘의 방향은 수직이고 크기는 유체와 같은 힘
ⓐ 아르키메데스의 원리

▶ 항력
ⓐ 유체에서 이동하는 물체가 운동방향의 정면에서 받는 힘
ⓐ 이동방향에서 물체의 단면적에 비례하고, 이동속도의 제곱에 비례함.
ⓐ 단면적이 같으면 유선형에 가까울수록 적게 작용함.

▶ 양력
ⓐ 이동하는 물체 주변에 있는 유체의 상대속도 차이에 의해 물체의 이동방향에 수직으로 작용하는 힘
ⓐ 유체의 이동속도가 증가할수록 그 유체가 작용하는 양력은 감소됨.
ⓐ 베르누이의 정리 : 유체의 속도가 빠르면 압력이 낮고, 유체의 속도가 느리면 압력이 높다.

» 회전과 마그누스효과 : 공에 스핀을 주어 던지면 공이 회전하는 방향으로 휘어지면서 날아간다(그림 참조).

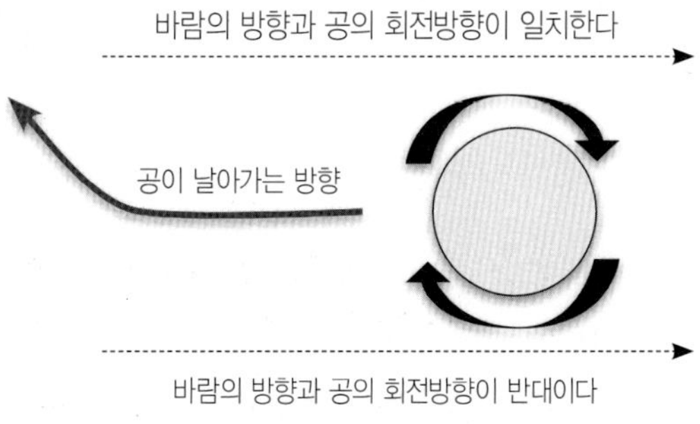

날아가는 공의 마그누스효과

4 뉴턴의 선운동법칙

제1법칙 (관성의 법칙)	물체에 힘을 가하지 않고 내버려두면 처음에 하고 있던 운동을 그대로 한다. 즉 힘이 작용하지 않으면 같은 운동을 계속한다.
제2법칙 (가속도의 법칙)	힘이 작용하면 가속도가 생긴다. 가속도의 크기는 힘의 크기에 비례하고, 물체의 질량에 반비례한다. 가속도=힘÷질량, 힘=질량×가속도, 질량=힘÷가속도

제3의 법칙 (작용반작용의 법칙)	물체 A가 물체 B에게 힘을 작용시키면 물체 B는 물체 A에게 반작용력을 준다. 이때 작용력과 반작용력의 크기는 똑 같고 방향은 정반대이다. 작용력 = −반작용력

5 운동량과 충격량

▶ 운동량

ⓐ 운동하는 물체의 운동 세기를 운동량이라고 하며, 스칼라량이다(트레이닝에서 말하는 운동량과 역학에서 말하는 운동량은 다르다).

운동량 =물체의 질량(m)×운동속도(v)

ⓐ 운동하고 있는 물체를 가만히 내버려두면 질량이 변하지 않고 속도도 변하지 않는데(운동량이 변하지 않음), 이것이 운동량보존의 법칙이다.

ⓐ 이론적으로는 운동량이 보존되지만 실제로는 마찰력 등 무엇인가 방해꾼 때문에 운동량이 약간 손실될 수밖에 없지만 손실되는 운동량은 무시하기로 한다.

ⓐ 앞으로 달려가다가 위로 뛰어올랐다고 하자. 만약 앞으로 달려가던 운동량이 보존되지 않는다고 하면 위로 올라가기만 하고 앞으로는 더 이상 가지 말아야 한다. 그런 경우가 생기면 운동을 할 수 있겠는가?

▶ 충격량

ⓐ 운동하고 있는 두 물체가 충돌하면 둘 다 충격을 받는데, 그 크기를 충격량이라고 한다.

충격량 =충격력×충돌해서 서로 붙어 있던 시간의 길이(작용시간)
=충돌 후 운동량−충돌 전 운동량
=운동량의 변화량

ⓐ 자동차와 사람이 충돌했다고 가정하고 사람만 생각하여 보자. 사람이 왜 충격을 받았는가? 자동차로부터 어떤 힘을 받았기 때문이다. 그 힘을 충격력이라고 한다. 자동차와 사람이 순간적으로 충돌하고 말았느냐 자동차에 질질 끌려갔느냐에 따라서도 충격량이 달라진다. 즉 충격량은 충격력과 충돌해서 서로 붙어 있던 시간의 길이에 따라서 달라진다. 그래서 충격량 = 충격력×충돌해서 서로 붙어 있던 시간의 길이로 계산한다.

ⓐ 이번에는 자동차를 생각해보자. 자동차는 충격을 받지 않았는가? 충격을 받아서 찌그러졌다. 그러면 얼마만큼의 충격을 받았을까? 자동차가 사람에게 충격력을 주면 작용반작용의 법칙에 의해서 사람도 반드시 자동차에게 충격력을 주어야 한다. 즉 사람이 받은 충격력과 자동차가 받은 충격력은 크기가 같고 방향이 반대이다. 그리고 자동차와 사람이 붙어 있던 시간은 자동차와 사람이 무조건 똑 같다. 그러므로 자동차가 받은 충격량과 사람이 받은 충격량은 크기가 똑 같고 방향이 반대이다. 즉 자동차와 사람이 충돌하면 똑 같은 크기의 충격량을 서로 주고받는다.

ⓐ 마지막으로 사람과 자동차가 충돌하기 전과 충돌한 후에 무엇이 달라졌는가? 사람과 자동차 모두 속도가 변했다. 물론 뼈가 부러지고 차가 찌그러지는 등 모양도 변했지만 모양이

변한 것까지 계산하기에는 우리들의 능력이 너무 모자라므로 모양이 변한 것은 없던 일로 한다.

⑧ 속도가 변했다는 말을 운동량이 변했다고 해도 되므로 '충돌 전과 후에는 운동량이 변한다.'고 한다. 이것을 증명하는 수식이 아주 간단하기는 하지만 잘 모르니까 그냥 "충돌 전과 후에 운동량이 달라진 크기와 물체가 받은 충격량의 크기는 같다."고 외워두자.

6 탄성

탄성이란	어떤 물체가 외력에 의해 변형되었다가 외력이 제거되면 원형으로 되돌아가려는 성질
탄성의 형태	**완전탄성** : 충돌 전과 후의 상대속도가 같을 때. 탄성계수 1. 예 :당구 **불완전탄성** : 충돌한 다음에 에너지가 손실되어 속도가 작아질 때. 탄성계수 0~1. 예 : 대부분의 스포츠
완전비탄성충돌	충돌 후 상대속도가 0일 때. 탄성계수 0. 예 : 양궁
$\text{탄성계수} = \dfrac{\text{충돌 후 상대속도}}{\text{충돌 전 상대속도}}$	

각운동의 운동역학적 분석

1 토크(모멘트)

토크란	물체가 회전하도록 하는 원인이 되는 것. 인체지레는 하나의 축이 중심이 되어 회전하기 때문에 항상 토크(torque, 회전력=비틀림모멘트)를 생성한다.
토크의 계산	힘×모멘트팔 **힘의 토크**(=힘의 모멘트=힘의 회전능률)=힘의 크기×힘팔의 길이(받침점에서 힘점까지의 거리) **저항의 토크**(=저항의 모멘트=저항의 회전능률)=저항력×저항팔의 길이(받침점에서 저항점까지의 거리)
토크의 생성	**내력**(내적 토크) : 물체가 외부에서 힘을 받을 때 스스로 모양을 유지하기 위해 내부에서 버티는 힘 **외력**(외적 토크) : 물체가 외부에서 받는 힘.

2 관성모멘트

관성이란	물체가 외부로부터 힘을 받지 않을 때 처음의 운동상태를 유지하려는 성질
관성모멘트	회전하는 물체가 회전을 계속하려고 하는 성질의 크기
관성의 크기 결정요인	**물체의 질량** : 질량이 클수록 물체의 관성도 크다. **질량 분포** : 회전축에 대한 그 물체의 질량 분포상태
모멘트 팔	**모멘트 팔** : 회전축과 힘선 사이의 가장 짧은 거리(수직거리) **단축성 수축** : 순토크와 관절운동이 같은 방향으로 일어나는 토크. 근육의 길이가 짧아진다. **등척성 수축** : 근육의 길이가 변하지 않고 근육의 장력이 발생함. 관절의 움직임은 없다. **신장성 수축** : 관절운동의 반대방향으로 일어나는 토크. 근육이 길어진다.

3 뉴턴의 각운동법칙

제1법칙 (각관성의 법칙)	» **선운동** : 힘이 작용하지 아니하면 정지하여 있던 물체는 계속 정지하여 있고, 직선운동하던 물체는 같은 빠르기로 직선운동을 계속한다. » **각운동** : 토크가 작용하지 아니하면 정지하여 있던 물체는 계속 정지하여 있고, 각운동하던 물체는 같은 빠르기로 각운동을 계속한다.
제2법칙 (각가속도의 법칙)	» **선운동** : 힘이 작용하면 가속도가 생긴다. 가속도는 힘의 크기에 비례하고, 질량에 반비례한다. **선운동=질량×선가속도** » **각운동** : 토크가 작용하면 각가속도가 생긴다. 각가속도는 토크의 크기에 비례하고, 관성모멘트에 반비례한다. **각운동토크=관성모멘트×각가속도**
제3법칙 (각반작용의 법칙)	» **선운동** : A가 B에게 힘 F를 작용하면 B는 A에게 반작용력 −F를 준다. » **각운동** : A가 B에게 토크 T를 작용하면 B는 A에게 반작용토크 −T를 준다.
선운동과 각운동의 차이점	» 선운동은 질량이 관성을 나타내고, 각운동은 관성모멘트가 관성을 나타낸다. » 선운동은 힘이 작용하면 가속도가 생기고, 각운동은 토크가 작용하면 각가속도가 생긴다.

4 각운동량과 회전충격량

각운동량	» 회전하는 물체가 가지고 있는 운동의 양(회전운동의 양) » **각운동량=관성모멘트×각속도=질량×회전반경^2×각속도**
회전충격량	» 주어진 시간 동안 가해진 회전력(토크)의 총량 » **각충격량=토크×작용시간**

5 각운동량의 보존과 전이

보존	» 각운동량에서 전이가 발생할 때 순수한 외적 토크가 가해지지 않는다면 전체각운동량은 일정하게 보존됨.
전이	» 물체 내에서 운동량이 재분배되는 과정임.
각운동과 선운동의 차이점	» 각운동이나 선운동 모두 운동량보존의 법칙이 성립됨. » 선운동의 관성은 질량이고, 질량은 변하지 않는다. » 그런데 각운동의 관성은 관성모멘트이고, 관성모멘트는 취하는 자세에 따라서 언제 어디서나 쉽게 변한다.

6 구심력과 원심력

구심력	» 곡선을 따라 움직이는 물체에 존재하는 힘. 즉 원의 중심을 향하는 힘. **구심력=질량×반지름×각속도^2**($F=mr\omega^2$)
원심력	» 구심력과 크기는 같고 방향은 반대인 힘.

필수 및 심화 문제

필수문제

01 힘(force)에 대한 설명으로 옳지 않은 것은?

① 힘은 움직임을 일으키는 원인이다.
② 힘의 3요소는 크기, 방향, 작용점이다.
③ 힘의 단위는 N(newton)이다.
④ 힘은 크기가 0보다 큰 스칼라(scalar)량이다.

■ 힘은 물체의 모양이나 운동상태를 변화시키는 원인이며, 벡터량이다.

심화문제

02 힘에 대한 설명이다. 틀린 것은?

① 힘의 단위는 N이다.
② 힘의 단위는 kg중이다.
③ 힘은 벡터량이다.
④ 물체의 중심방향으로 작용하는 힘을 이심력이라 한다.

■ 물체의 중심방향으로 작용하는 힘은 향심력이다.

03 힘(force)에 관한 설명으로 옳지 않은 것은?

① 벡터(vector)이다.
② 단위는 m/s이다.
③ 중력(gravitational force)은 힘이다.
④ 내력(internal force)과 외력(external force)으로 구분할 수 있다.

■ 힘의 단위는 뉴턴(N)이다.

04 작용력과 반작용력에 대한 설명이다. 틀린 것은?

① 지면으로부터 받는 반작용력을 지면반력이라 한다.
② 작용력이 있으면 반드시 반작용력이 있다.
③ 작용력과 반작용력은 크기가 같고 방향이 반대이다.
④ 작용력+반작용력=0이므로 운동에 아무런 영향도 미치지 않는다.

■ 작용력과 반작용력은 다른 물체에 작용하는 힘이기 때문에 더하면 안 된다.

05 팔굽혀펴기 동작을 설명한 것이다. 틀린 것은?

① 힘팔의 길이가 저항팔의 길이보다 길다.
② 몸무게보다 작은 힘으로 몸을 움직일 수 있다.
③ 팔에서 소비되는 에너지보다 한 일의 양이 더 많다.
④ 2종지레이다.

■ 힘이나 거리에는 손해 또는 이득이 있을 수 있지만, 소비한 에너지와 한 일은 항상 같다.

정답 01 : ④, 02 : ④, 03 : ②, 04 : ④, 05 : ③

필수문제

06 운동학적(kinematic) 및 운동역학적(kinetic) 변인에 대한 설명으로 옳지 않은 것은?

① 질량(mass)은 크기만을 갖는 물리량이다.
② 시간(time)은 크기만을 갖는 물리량이다.
③ 힘(force)은 크기만을 갖는 물리량이다.
④ 거리(distance)는 시작점에서 끝점까지 이동한 궤적의 총합으로 크기만을 갖는 물리량이다.

■③ 힘은 물체의 모양이나 운동상태를 변화시키는 근원으로 크기 · 방향 · 작용점의 3요소를 가진 벡터량이다.
· **스칼라량** : 숫자로 표시되는 크기에 단위만을 붙인 물리량(길이, 질량, 시간, 속력 등)
· **벡터량** : 크기와 방향을 함께 갖는 물리량(힘, 속도, 변위 등)

심화문제

07 힘을 그림으로 나타내려고 할 때 표시하지 않아도 되는 것은?

① 작용점
② 크기
③ 방향
④ 근원(source)

■힘의 3요소는 힘의 크기, 방향, 작용점이다.

08 800N 바벨을 정지상태에서 위로 올린 후 다시 정지시키는 벤치프레스 동작에서 바벨에 가한 시간－수직 힘크기 그래프로 가장 옳은 것은?

①
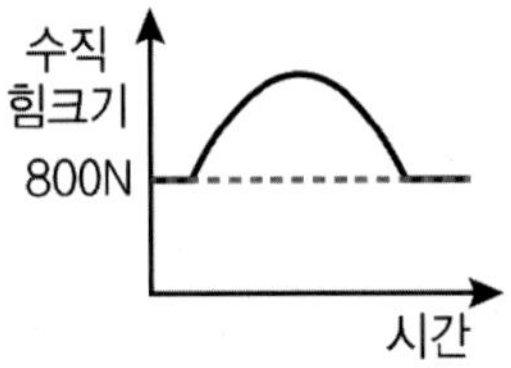

②
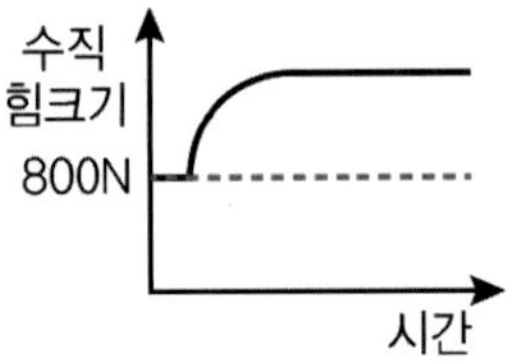

③
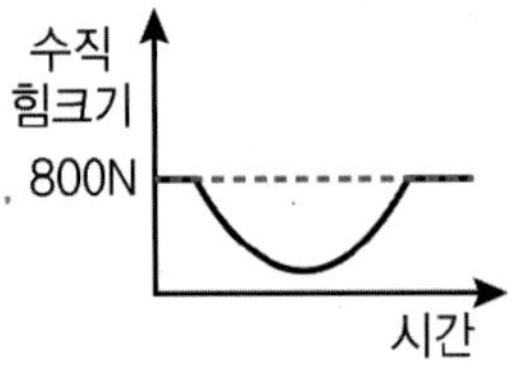

④
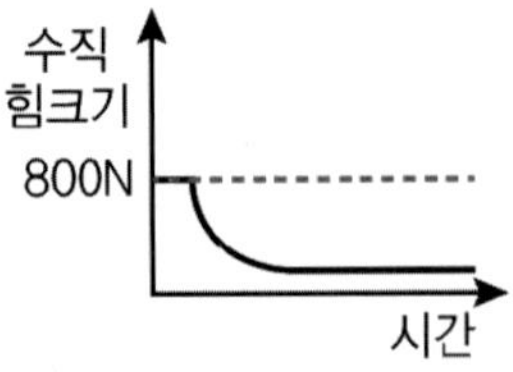

■바벨을 가만히 들고 있으면 바벨의 무게인 800N의 힘이 필요하고, 위로 올리려면 800N보다 더 큰 힘이 필요하다. 바벨을 밀어 올리다가 정지시키려면 속도를 줄이기 위해서 힘을 주려야 하고, 다시 정지하려면 800N의 힘만 있으면 된다.

09 힘의 3가지 요소에 해당되지 않는 것은?

① 힘의 작용시간
② 힘의 작용점
③ 힘의 방향
④ 힘의 크기

■힘의 작용시간에 따라 달라지는 것은 충격량이다.

정답 06 : ③, 07 : ④, 08 : ①, 09 : ①

필수문제

10 인체가 운동할 때 외력이 아닌 것은?

① 중력 ② 지면반력 ③ 근력 ④ 공기마찰력

▪근력은 자신이 내는 힘이므로 내력이다.

필수문제

11 마찰력(F_f)에 대한 설명으로 옳은 것은?

① 아스팔트 도로에서 마찰계수는 구름 운동보다 미끄럼 운동일 때 더 작다.
② 마찰력은 물체 표면에 수직으로 작용하는 힘과 관계가 있다.
③ 최대정지마찰력은 운동마찰력보다 작다.
④ 마찰력은 물체의 이동 방향과 같은 방향으로 작용한다.

▪② **마찰력** = 마찰계수×수직반력(반작용의 힘)
▪마찰력은 수직반력의 힘과 관계가 있다.
▪① 구름운동(구름마찰력)은 미끄럼운동(미끄럼마찰력)보다 크다.
▪③ 최대정지마찰력은 운동마찰력보다 크다.
▪④ 마찰력은 물체의 이동 방향의 반대방향으로 작용한다.

심화문제

12 '마찰'에 대한 설명으로 옳지 않은 것은?

① 마찰력은 저항력 또는 추진력으로 작용할 수 있다.
② 마찰계수는 접촉면의 형태와 성분에 따라 달라진다.
③ 마찰력의 크기는 접촉면에 가한 수직 힘의 크기에 비례한다.
④ 마찰력은 접촉면과 평행하게 작용하며 물체의 운동 방향으로 작용한다.

▪④ 마찰력은 접촉면에 작용하는 힘이며, 물체의 운동 방향과 반대 방향으로 작용한다.

13 마찰력에 대한 설명이다. 틀린 것은?

① 물체가 움직이지 않는 한 마찰력은 작용력과 같다.
② 물체가 움직이기 직전에 정지마찰력의 크기가 최대가 된다.
③ 물체가 움직이기 시작하면 운동마찰력이 되고, 그 때의 운동마찰력은 최대정지마찰력보다 작다.
④ 운동마찰력은 항상 최대정지마찰력보다 작다.

▪운동을 시작할 때에는 운동마찰력이 최대정지마찰력보다 작지만, 물체의 속도가 빨라지면 운동마찰력이 기하급수적으로 커진다.
▪따라서 항상 작은 것은 아니다.

14 마찰력에 대한 설명 중 옳은 것은?

① 마찰력의 크기는 마찰계수와 접촉면에 수평으로 가해진 힘의 곱이다.
② 접촉면의 형태와 성분(재질)은 마찰계수에 영향을 미친다.
③ 최대정지마찰력은 운동마찰력보다 작다.
④ 마찰력은 추진력으로 작용할 수 없다.

▪①은 수직으로 가해진 힘, ③의 최대정지마찰력은 운동마찰력보다 크다. ④ 육상의 스타트에서는 마찰력이 추진력으로 작용하기도 한다.

정답 10 : ③, 11 : ②, 12 : ④, 13 : ④, 14 : ②

■① 마찰력은 뒤로 작용한다.
③ 운동마찰력이 정지마찰력보다 작다.
④ 스키의 길이와 마찰력은 아무 상관도 없다.

15 스키 활강 경기에서 설면의 마찰력에 대한 설명이다. 옳은 것은?

① 마찰력은 수직하방으로 작용한다.
② 스키선수의 체중이 무거울수록 마찰력이 커진다.
③ 정지하고 있을 때보다 움직이고 있을 때의 마찰력이 더 크다.
④ 스키의 길이가 길수록 마찰력이 커진다.

16 마찰력에 관한 설명으로 옳지 않은 것은?

■마찰력은 추진력으로 작용될 수도 있다. 예 : 정지마찰력은 자동차를 앞으로 가게 하는 추진력도 있다.

① 마찰력은 추진력으로 작용될 수 없다.
② 최대정지마찰력은 운동마찰력보다 크다.
③ 마찰계수는 접촉면의 형태에 영향을 받는다.
④ 마찰력은 마찰계수와 접촉면에 수직으로 작용한 힘의 곱으로 구한다.

17 다음 설명 중 옳지 않은 것은?

■자전거 타이어를 고무로 만든 것은 마찰력을 크게 하기 위해서이다.

① 레슬링에서 다리를 넓게 벌리고 몸의 중심을 낮추는 것은 안정된 자세를 취하기 위해서이다.
② 난거리 달리기 출발 직전에는 불안정한 자세를 취한다.
③ 이심력(편심력)을 작용시키면 회전운동이 일어난다.
④ 자전거 타이어를 고무로 만든 것은 마찰력을 줄이기 위해서이다.

18 마찰력의 크기와 관계가 없는 것은?

■접촉면의 면적은 마찰력의 크기와 관계가 없다.

① 접촉면의 재질
② 접촉면의 습도
③ 접촉면의 면적
④ 접촉면의 온도

19 힘의 종류에 대한 설명 중 바르지 못한 것은?

■접촉면의 형태·성분 등에 의해서 결정되는 힘은 마찰력이다.

① 추진력은 운동을 유발하는 힘이다.
② 저항력은 운동을 방해하는 힘이다.
③ 양력은 '떠오르게 하는 힘'으로 중력에 반대되는 힘이다.
④ 탄성력은 접촉면의 형태, 성분 등에 의해 결정되는 힘이다.

정답 15 : ②, 16 : ①, 17 : ④, 18 : ③, 19 : ④

필수문제

20 **수영할 때 작용하는 힘에 관한 설명이다. 틀린 것은?**

① 몸과 수면이 평행할 때가 직각일 때보다 물의 저항력이 작다.
② 부력 때문에 체중이 가벼워진다.
③ 물에서는 부력만 작용하고 중력은 작용하지 않는다.
④ 숨을 들이마시면 부력이 더 커진다.

■ 지구상에서 중력이 작용하지 않는 곳은 없다.

심화문제

21 **바르게 설명한 것은?**

① 근력은 항상 중력의 반대방향으로 작용한다.
② 부력은 항상 중력의 반대방향으로 작용한다.
③ 양력은 항상 중력의 반대방향으로 작용한다.
④ 마찰력은 항상 중력의 반대방향으로 작용한다.

■ 비행기의 양력은 중력의 반대방향이지만, 경주용 자동차의 양력은 중력방향이다.

22 **유체 속에서 운동하는 물체가 있을 때 항상 운동하는 반대방향으로 작용하는 힘은?**

① 부력 ② 압력 ③ 양력 ④ 항력

■ 유체의 마찰력을 항력이라 하는데, 마찰력은 항상 반대방향으로 생긴다.

필수문제

23 **양력에 대한 설명으로 옳지 않은 것은?**

① 양력은 물체가 이동하는 방향의 반대 방향으로 작용한다.
② 양력은 베르누이 원리(Bernoulli principle)로 설명된다.
③ 양력은 형태의 비대칭성, 회전(spin) 등에 의해 발생한다.
④ 양력은 물체의 중심선과 진행하는 방향이 이루는 공격각(angle of attack)에 의해 발생한다.

■ ① 양력은 이동하는 물체 주변에 있는 유체의 상대속도 차이에 의해 물체가 이동하는 방향에 수직으로 작용한다.

심화문제

24 **스핀을 주면서 공을 찼더니 공이 휘어져 나갔다. 휘어지게 한 힘과 가장 가까운 것은?**

① 마찰력 ② 중력 ③ 부력 ④ 양력

■ 보통 마그누스효과라고 한다.

25 **지면에 놓여 있는 질량 150kg인 물체에 2,000N의 힘을 수직상방으로 작용시켰다. 옳은 것은?**

① 물체는 계속해서 정지하여 있다. ② 물체는 위로 올라간다.
③ 물체는 앞으로 간다. ④ 물체는 위·앞으로 간다.

■ 물체에 작용하는 중력은 150×9.8=1,470N이다.

정답 20 : ③, 21 : ②, 22 : ④, 23 : ①, 24 : ④, 25 : ②

필수문제

26 그림의 야구 투구에서 공의 회전방향과 마구누스 힘(Magunus force)의 방향이 바르게 연결된 것은?

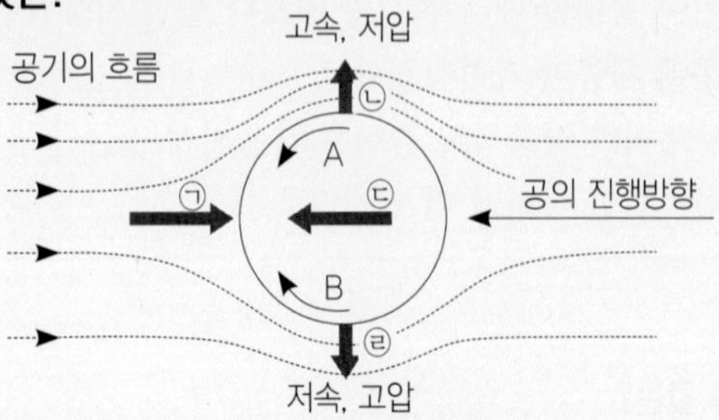

공의 회전방향	마구누스 힘의 방향
① A	㉠
② B	㉡
③ A	㉢
④ B	㉣

■회전하며 돌아가는 공의 위아래쪽의 압력차이에 의해 공의 경로가 굽어지는 현상이 **마그누스의 효과**이다. 공은 회전방향에서는 공기(유체)와 충돌하므로 저속 · 고압상태가 되며, 반대방향으로는 공기의 흐름과 같은 방향으로 회전하여 고속 · 저압상태가 되므로 B 방향으로 회전한다. 마그누스 힘의 방향은 고압쪽에서 저압쪽이 되므로 ㉡이다.

심화문제

27 보기의 ㉠, ㉡에 알맞은 내용으로 연결된 것은?

보기

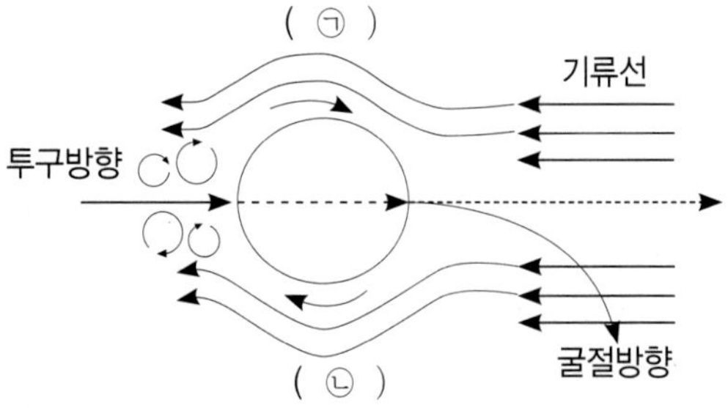

	㉠	㉡
①	고기압대 - 기류감속	저기압대 - 기류가속
②	고기압대 - 기류가속	저기압대 - 기류감속
③	저기압대 - 기류감속	고기압대 - 기류가속
④	저기압대 - 기류가속	고기압대 - 기류감속

■공은 저기압쪽으로 휘어진다. 기류의 속도가 느리면 고기압이다. 그러므로 ㉡은 저기압이고, 저기압이니까 기류의 속도가 빠르다. ㉠은 고기압이고, 기류의 속도가 느리다.

정답 26 : ②, 27 : ①

필수문제

28 **수평면 위에 물체가 정지하여 있다. 수평방향으로 50N의 힘을 작용시켰더니 물체가 그대로 정지하여 있었다. 틀린 것은?**

① 작용력의 크기가 50N이다.
② 마찰력의 크기가 50N이다.
③ 반작용력의 크기도 50N이다.
④ 작용력과 반작용력이 서로 반대방향이므로 물체가 움직이지 않는다.

■ 작용력과 마찰력의 합은 0이기 때문에 물체가 움직이지 않는다. 반작용력은 물체에 작용하는 힘이 아니고 물체를 민 사람에게 작용하는 힘이다.

필수문제

29 **보기의 ㉠, ㉡에 알맞은 내용은?**

보기
충격량은 질량과 속도의 곱인 (㉠)의 변화량이며, 가해진 (㉡)과(와) 접촉시간의 곱이다.

	㉠	㉡		㉠	㉡
①	토크	관성모멘트	②	토크	충격력
③	운동량	관성모멘트	④	운동량	충격력

■ 운동량=질량×속도
■ 충격량=충격력×충돌해서 서로 붙어 있던 시간의 길이(접촉시간)

심화문제

30 **동일한 조건에서 크기가 같은 무거운 공(0.50kg)과 가벼운 공(0.25kg)이 날아갈 때 운동량에 대한 설명으로 바른 것은?**

① 같은 속도로 날아오는 무거운 공과 가벼운 공의 운동량은 같다.
② 같은 공으로 속도를 다르게 해서 던져도 운동량은 같다.
③ 같은 속도로 날아오는 무거운 공과 가벼운 공의 운동량은 다르다.
④ 같은 공으로 속도를 같게 던져도 운동량은 다르다.

■ 운동량=질량×속도이다.

31 **운동량에 대한 설명이다. 틀린 것은?**

① 질량이 클수록 운동량이 크다.
② 속도가 빠를수록 운동량이 크다.
③ 힘이 작용하지 않으면 운동량이 변하지 않는다.
④ A, B 두 물체가 충돌하였을 때 충돌 전 A의 운동량은 충돌 후 A의 운동량과 같다.

■ 충돌 전 A와 B의 운동량의 합이 충돌 후 A와 B의 운동량의 합과 같다.

정답 28 : ④, 29 : ④, 30 : ③, 31 : ④

32 **6m/s의 속도로 오른쪽으로 움직이는 체중 90kg인 럭비선수(A)와 7m/s의 속도로 왼쪽으로 움직이는 80kg인 선수(B)가 정면으로 충돌한다면 각 선수들의 운동량은 얼마나 되는가?**

① A 선수 560kg·m/s, B 선수 540kg·m/s
② A 선수 540kg·m/s, B 선수 560kg·m/s
③ A 선수 90kg·m/s, B 선수 80kg·m/s
④ A 선수 80kg·m/s, B 선수 90kg·m/s

■ A선수 6×90
B선수 7×80

33 **질량 50kg인 엄마가 1m/s로 걸어오고 있었다. 질량이 20kg인 아이가 엄마에게 3m/s로 달려가서 안겼더니 엄마가 아이를 안고 뒷걸음쳤다. 이것을 가장 잘 설명해주는 것은?**

① 운동량=질량×속도 ② 충격량=힘×시간
③ 충돌 전의 운동량=충돌 후의 운동량 ④ 충격량=나중운동량-처음운동량

■ 운동량 보존의 법칙

34 **정지하여 있는 질량 10kg의 물체에 20N의 힘을 3초 동안 작용시켰다. 틀린 것은?**

① $2m/s^2$의 가속도가 생긴다.
② 3초 후의 속도는 6m/s이다.
③ 물체가 받은 충격량은 60Ns이다.
④ 3초 후에 물체가 가지고 있는 운동량은 알 수 없다.

■ 운동량=질량×속도
10kg×6m/s
=60kgm/s

■ **각운동량=관성모멘트×각속도**로 계산한다. ① 도약할 때에는 각운동량을 최대로 얻어야 하고, ② 공중동작에서는 각운동량이 보존되므로 빨리 회전하고 싶으면 관성모멘트를 작게 하고, ③ 천천히 회전하고 싶으면 관성모멘트를 크게 만든다. ④ 입수할 때 몸이 회전하면 물이 많이 튀겨서 점수를 잃게 되므로 가능한 한 관성모멘트를 크게 하고, 각속도는 최소화해야 한다.

필수문제

35 **다이빙 동작의 각 단계에서 각운동량 보존의 법칙의 적용 결과에 대한 설명으로 옳은 것은?**

① 도약 시 몸을 최대로 신전시켜서 관성모멘트를 최소화한다.
② 공중동작에서 몸을 최대로 굴곡시켜서 관성모멘트를 최대화하고 각속도를 크게 한다.
③ 공중동작에서 몸을 최대로 굴곡시켜서 관성모멘트를 최소화하고 각속도를 작게 한다.
④ 입수 시 수면과 수직방향으로 몸을 최대로 신전시켜서 관성모멘트를 최대화하고 각속도를 최소화한다.

심화문제

36 **충돌 전후의 운동량 사이의 관계를 가장 잘 설명하는 것은?**

① 관성의 법칙 ② 가속도의 법칙
③ 작용-반작용의 법칙 ④ 운동량 보존의 법칙

정답 32 : ②, 33 : ③, 34 : ④, 35 : ④, 36 : ④

37 운동량 보존법칙이 성립되지 않는 것은?

① 공기 중의 분자들이 무작위적으로 계속해서 충돌하는 경우
② 두 물체가 충돌한 다음 한 덩어리로 합쳐지는 경우
③ 두 물체가 충돌한 다음 한 물체가 산산조각이 나는 경우
④ 바람이 부는 날 두 풍선이 충돌한 경우

■ 바람의 힘이 작용하였으므로 운동량 보존법칙은 성립되지 않는다.

필수문제

38 충격량(impulse)에 관한 설명으로 옳지 않은 것은?

① 스칼라(scalar)이다.
② 단위는 kg·m/s이다.
③ 운동량(momentum) 변화의 원인이 된다.
④ 시간에 대한 힘의 곡선을 적분한 값이다.

■ **충격량** : 어떤 물체에 짧은 시간 동안 진짜 힘이 작용하여 물체의 운동량이 변할 때, 작용하는 힘을 시간에 대해 작용하는 힘의 곡선을 적분한 값. 단위는 kg · m/s=N · s로 운동량의 단위와 같다. 충격량은 벡터량이다.

필수문제

39 압력과 충격량에 관한 설명 중 옳지 않은 것은?

① 유도에서 낙법은 신체가 지면에 닿는 면적을 넓혀 압력을 증가시키는 기술이다.
② 권투에서 상대방의 주먹을 비켜 맞도록 동작을 취하여 신체가 받는 압력을 감소시킨다.
③ 높은 곳에서 뛰어내릴 때 무릎관절 굽힘을 통해 충격 받는 시간을 늘리면 신체에 가해지는 충격력의 크기는 감소된다.
④ 골프 클럽헤드와 볼의 접촉구간에서 충격력을 유지하면서 접촉시간을 증가시키면 충격량은 증가하게 된다.

■ ① 유도의 낙법은 작용시간을 길게 할 수 없을 때 충격량을 분산시켜 압력을 감소시키는 기술이다.
※ 충격량은 작용시간이 단축되면 증가한다.
※ 압력 $P = \frac{F(힘)}{A(면적)}$

심화문제

40 운동량, 충격력, 충격량의 관계에 대한 설명으로 옳은 것은?

① 충격량은 질량이 변하지 않을 때 속도의 변화량에 비례한다.
② 동일한 충격량 생성 조건에서 접촉시간을 늘리면 충격력은 증가한다.
③ 운동량은 스칼라(scalar)양이다.
④ 운동량과 충격량의 단위는 다르다.

■ 충격량
=충격력×시간
=질량×속도의 변화량

41 힘×시간으로 측정되는 양은?

① 충격력 ② 충격량 ③ 운동량 ④ 관성량

정답 37 : ④, 38 : ①, 39 : ①, 40 : ①, 41 : ②

42 그림은 A 선수와 B 선수가 제자리에서 수직점프 후 착지할 때 착지구간에서 시간에 따른 수직 힘의 변화를 나타내는 그래프이다. 이에 관한 설명으로 옳은 것은?(단, 가와 나의 면적은 동일)

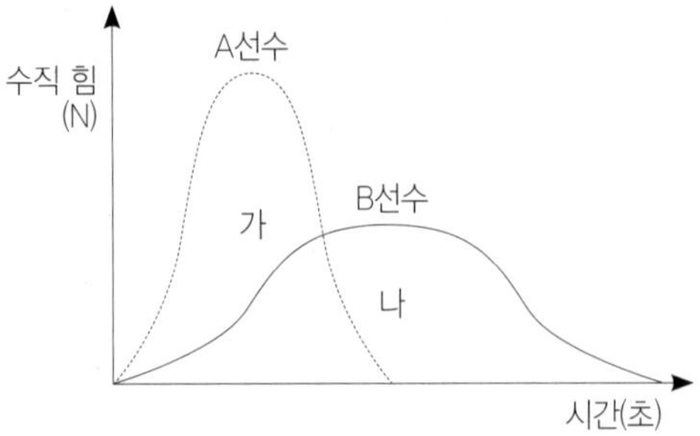

① A 선수와 B 선수의 수직 충격량은 동일하다.
② A 선수와 B 선수에서 수직 운동량의 변화량은 다르다.
③ A 선수와 B 선수의 수직 충격력이 다르기 때문에 수직 충격량이 다르다.
④ A 선수와 B 선수의 수직 힘의 작용시간이 다르기 때문에 수직 충격량이 다르다.

■ ① 가와 나의 면적이 동일하므로 두 선수의 수직 충격량은 같다.
■ ② 운동량의 변화량은 충격력과 같으므로 두 선수의 운동량의 변화량은 같다.
■ ③ 수직 충격력은 다르지만, 수직 충격량은 같다.
■ ④ 수직 힘의 작용시간은 다르지만, 수직 충격량은 같다.

43 복싱경기에서 면적이 넓은 글러브를 사용하면 면적이 작은 글러브나 맨주먹보다 신체에 가해지는 ( )을 분산시켜 상해를 예방할 수 있다. 다음 중 ( )에 해당하는 것은?

① 근력 ② 마찰력
③ 충격력 ④ 중력

■ 압력이라고 해도 되지만, 보통은 충격력이라고 한다.

44 물체에 힘을 가할 때 충격량(impulse)의 크기가 다른 것은?

① 한 사람이 2초 동안 30N의 일정한 힘을 가했을 때
② 한 사람이 3초 동안 20N의 일정한 힘을 가했을 때
③ 한 사람이 4초 동안 15N의 일정한 힘을 가했을 때
④ 한 사람이 2초 동안 40N의 일정한 힘을 가했을 때

■ 충격량=충격력×충돌해서 붙어 있던 시간의 길이

45 54m/s로 날아오는 질량 0.06kg인 테니스공을 라켓으로 쳤더니 반대 방향으로 66m/s로 날아갔다. 라켓이 테니스공에 가한 충격량의 크기는?

① 3.24NS ② 3.34NS
③ 6.58NS ④ 7.2 NS

■ 충격량=운동량의 변화량=질량×속도의 변화량. 즉 0.06×{66−(−54)}=0.06×120=7.2 kg · m/s =7.2 NS

46 0.2kg의 야구공이 40m/s로 날아오는 것을 배트로 쳤더니 반대방향으로 60m/s의 속력으로 날아갔다. 배트로 야구공에 가한 충격량은?

① 20N ② 20kg·m/s ③ 20J ④ 20cal

■ ①은 힘, ②는 운동량 또는 충격량, ③은 일 또는 에너지, ④는 열량의 단위이다.

정답 42 : ①, 43 : ③, 44 : ④, 45 : ④, 46 : ②

필수문제

47 반발계수(coefficient of restitution)에 관한 설명으로 적절하지 않은 것은?

① 0부터 1 사이의 값이다.
② 두 물체 간의 충돌 전후의 상대속도의 비율로 측정한다.
③ 공을 떨어뜨린(drop) 높이와 공이 지면에서 튀어 오른(bounce) 높이의 차이 값이다.
④ 완전탄성충돌(perfectly elastic colision)의 반발계수는 1이다.

■ **반발계수** : 두 물체가 충돌하여 반발할 때 충돌 전의 상대속도와 충돌 후의 상대속도와의 비율. 즉 충돌 전의 두 물체가 가까워지는 속력과 충돌 후 두 물체가 멀어지는 속력의 비율
■ **완전탄성충돌** : 원자나 공기분자들 간의 충돌. 역학적 에너지가 보존됨. 반발계수=1
■ **완전비탄성충돌** : 충돌 후 두 물체가 한 덩어리가 되는 것. 반발계수=0
■ **비탄성충돌** : 주변에서 발생하는 대부분의 충돌. 반발계수는 0과 1 사이.

필수문제

48 충돌에 관한 설명으로 옳지 않은 것은?

① 탄성(elasticity)은 충돌하는 물체의 재질, 온도, 충돌 강도 등에 따라 그 정도가 달라진다.
② 탄성은 어떠한 물체에 힘이 가해졌을 때, 그 물체가 변형되었다가 원래 상태로 되돌아가려는 성질을 말한다.
③ 복원계수(반발계수, coefficient of restitution)는 단위가 없고 0에서 1 사이의 값을 갖는다.
④ 농구공을 1 m 높이에서 떨어뜨려 지면으로부터 64cm 높이까지 튀어 올랐을 때의 복원계수는 0.64이다.

■ ④ 반발계수(복원계수, 충돌계수) $= \frac{\text{충돌 후의 상대속도}}{\text{충돌 전의 상대속도}}$로 계산하는데, 이 조건으로는 복원계수를 알 수 없다.

심화문제

49 탁구공과 농구공을 같은 높이에서 책상 위에 떨어뜨렸더니 탁구공이 많이 튀어올랐다. 이 현상을 가장 잘 설명하는 것은?

① 탁구공이 농구공보다 탄성이 좋다.
② 농구공이 탁구공보다 무겁다.
③ 농구공의 마찰계수가 탁구공보다 크다.
④ 탁구공은 속이 비어 있고, 농구공은 속에 공기가 들어 있다.

필수문제

50 토크(torque)를 결정하는 2가지 요소는?

① 작용하는 힘, 모멘트 암 ② 이동한 속도, 경사각도
③ 모멘트 암, 이동한 속도 ④ 작용하는 힘, 이동한 속도

■ 토크=힘의 세기×힘팔(또는 저항팔)

정답 47 : ③, 48 : ④, 49 : ①, 50 : ①

심화문제

51 윗몸일으키기를 할 때 두 팔로 머리를 감싸는 자세를 취하면 두 팔을 가슴에 얹어놓는 자세를 취할 때에 비해서 힘이 더 든다. 그 이유는?

① 회전해야 할 각도가 증가하기 때문에
② 회전해야 할 거리가 증가하기 때문에
③ 회전에 필요한 토크가 증가하기 때문에
④ 회전에 필요한 각속도가 증가하기 때문에

52 한 축에서 발생하는 토크(torque, moment of force)에 대한 설명 중 틀린 것은?

① 토크는 회전력을 말한다.
② 토크는 가해진 힘과 축에서 힘의 작용선까지 수직거리의 곱이다.
③ 힘이 작용하는 방향이 다르면 토크가 달라진다.
④ 힘의 작용선이 물체의 회전축을 통과할 때 토크가 발생한다.

■ 힘의 작용선이 물체의 회전축을 통과하면 토크는 무조건 0이다.

53 일상생활 또는 스포츠 상황 속에서 토크(torque)를 올바르게 활용하는 방법이 아닌 것은?

① 유도의 업어치기 시 상대와 자신의 신체중심 사이의 거리를 최대한 넓히는 것
② 볼트(bolt)를 쉽게 돌리기 위하여 렌치(wrench)를 이용하는 것
③ 테니스 서브를 강하게 하기 위해 공을 임팩트 할 때 신체를 최대한 신전하는 것
④ 역도에서 바벨을 몸의 중심에 가까이 유지하면서 들어 올리는 것

■ ①과 같이 하면 상대가 넘어지지 않는다.

54 달리기를 할 때 인체에 작용하는 외력이 아닌 것은?

① 중력 ② 지면반력
③ 공기저항력 ④ 지면을 미는 힘

■ 지면을 미는 힘은 지면에 작용하는 힘이지 인체에 작용하는 힘이 아니다.

필수문제

55 운동 상황에서 회전축을 중심으로 발생하는 인체의 관성모멘트(moment of inertia)에 대한 설명으로 옳지 않은 것은?

① 피겨스케이트 트리플 악셀 점프에서 팔을 몸통으로 이동시키면 관성모멘트는 감소한다.
② 다이빙 동작에서 몸을 펴면 관성모멘트는 감소한다.
③ 야구 배팅 스윙에서 배트가 몸통 가까이에 붙어 회전하면 관성모멘트는 감소한다.
④ 달리기 동작에서 발 이륙 후 무릎을 접으면 하지의 관성모멘트는 감소한다.

■ 회전동작에서 몸을 길게 만들면 관성모멘트가 커지고, 몸을 둥글게 만들면 관성모멘트가 작아진다.

정답 51 : ③, 52 : ④, 53 : ①, 54 : ④, 55 : ②

필수문제

56 다이빙선수의 공중동작에서 발생할 수 있는 회전운동에 관한 설명으로 옳은 것은?

① 질량분포가 회전축에서 멀수록 관성모멘트는 작아진다.
② 관성모멘트는 각운동량에 비례하고 각속도에 반비례한다.
③ 회전반경의 길이는 관성모멘트의 크기에 영향을 주지 않는다.
④ 공중자세에서 관성모멘트가 달라져도 각속도는 변하지 않는다.

■ 각운동 시의 관성=회전관성=관성모멘트
■ ① 질량분포가 회전축에서 멀어질수록 관성모멘트는 커진다.
■ ③ 회전반경의 길이는 관성모멘트에 영향을 준다.
■ ④ 공중자세에서 관성모멘트가 달라지면 각속도도 변한다.

심화문제

57 보기의 ㉠, ㉡에 알맞은 내용은?

보기
다이빙 선수가 전방으로 공중 회전하는 동작에서 사지를 쭉 편 레이아웃(layout) 자세보다 사지를 웅크린 턱(tuck)자세가 회전수를 (㉠)시킨다. 레이아웃자세는 신체 질량이 회전축으로부터 멀리 분포되어 있어 회전반경과 관성모멘트가 (㉡)

	㉠	㉡
①	감소	커진다.
②	증가	커진다.
③	증가	작아진다.
④	감소	작아진다.

■ 다이빙을 할 때 몸을 웅크리면 회전반경이 작아져 관성모멘트가 감소하여 회전수가 많아진다.
■ 그러나 몸을 펴면 회전반경이 커져 관성모멘트가 증가한다.

58 피겨스케이팅에서 공중회전을 하기 위해서 팔다리를 회전축에 가깝게 오므렸더니 회선반경이 1/3배가 되었다. 관성모멘트는 몇 배로 변하는가?

① 1/3배　　② 1/9배
③ 3배　　④ 9배

■ 관성모멘트=질량×(회선반경)^2

59 관성모멘트(moment of inertia)에 대한 설명 중 틀린 것은?

① 단위는 $kg \cdot m^2$이다.
② 질량이 회전축으로부터 멀리 분포될수록 커진다.
③ 어떤 물체를 회전시키려 할 때 잘 돌아가지 않으려는 속성이다.
④ 물체의 크기, 형태, 밀도가 변해도 동일하다.

■ 같은 물체라도 회전하는 방향에 따라 회전관성이 다르다.

정답 56 : ②, 57 : ②, 58 : ②, 59 : ④

60 관성과 거리가 먼 것은?

■ ③은 원심력인데, 이것은 일종의 관성력이다.
■ ④는 가속도의 법칙과 관련이 더 깊다.

① 옷을 털면 먼지가 떨어진다.
② 트럭보다 승용차가 가속이 잘 된다.
③ 버스가 커브를 돌 때 몸이 바깥쪽으로 쏠린다.
④ 라켓을 빠르게 휘두르면 공이 빨리 날아간다.

61 관성에 대한 설명 중 틀린 것은?

■ 관성의 크기는 질량에 비례한다.

① 운동상태를 변화시키지 않으려고 하는 성질이다.
② 관성의 크기는 질량에 반비례한다.
③ 모든 물체는 관성을 가지고 있다.
④ 관성을 극복하려면 힘이 있어야 한다.

62 종종 야구 배트를 효과적으로 가속시키기 위해 배트의 위쪽을 원통 모양으로 잘라내고 그 안에 코르크와 같은 가벼운 소재로 채워 넣는다. 배트의 무엇을 줄이기 위한 것인가?

■ 질량이 작아지면 관성모멘트도 작아진다.

① 관성 모멘트　② 배트의 회전속도
③ 탄성에너지　④ 마찰력

■ 뉴턴의 제1법칙(관성의 법칙) : 물체에 힘을 가하지 않고 내버려두면 처음에 하고 있던 운동을 그대로 계속한다.
■ 뉴턴의 제3법칙(작용반작용의 법칙) : 두 물체가 충돌하면 똑같은 힘을 서로 주고받는다.
■ 질량보존의 법칙 : 화학반응 전후에 반응물질의 전질량과 생성물질의 전질량은 같다

필수문제

63 보기에서 설명하는 운동법칙은?

보기
물체에 작용하는 힘의 크기가 일정할 때, 물체의 질량이 증가하면 가속도는 감소하게 된다.

① 뉴턴의 제1법칙　② 뉴턴의 제2법칙
③ 뉴턴의 제3법칙　④ 질량 보존의 법칙

심화문제

64 다음 설명 중 틀린 것은?

■ 물을 뒤로 밀어서 생기는 반작용력을 이용해서 앞으로 나가므로 운동을 도와준다.

① 수영 스트로크 시 물을 뒤로 밀어서 생기는 힘은 운동을 방해한다.
② 중력은 운동을 방해할 때도 있고 도와줄 때도 있다.
③ 마찰력은 항상 운동을 방해한다.
④ 달리기를 할 때 지면반력은 추진력의 역할을 한다.

정답　60 : ④, 61 : ②, 62 : ①, 63 : ②, 64 : ①

65 보기에서 설명하는 뉴턴의 운동법칙은?

> 보기
> 물체는 외부로부터 외력이 가해지지 않는 한 정지 또는 운동 상태를 계속 유지한다.

① 작용·반작용의 법칙 ② 관성의 법칙 ③ 가속도의 법칙 ④ 훅의 법칙

■ 관성의 법칙(p. 49) 참조

66 운동법칙에 대한 설명이다. 항상 옳은 것이 아닌 것은?

① 외부로부터 받는 힘의 크기가 0이면 정지하여 있는다.
② 외부로부터 힘을 받으면 가속도가 생긴다.
③ 작용력이 있으면 반드시 반작용력이 있다.
④ 작용력과 반작용력은 서로 다른 물체에 작용하는 힘이므로 합성할 수 없다.

■ 외부의 힘이 없어도 관성에 의해서 등속도 운동을 한다.

67 근대 운동역학의 기초가 되는 세 가지 운동법칙(관성의 법칙, 가속도의 법칙, 작용-반작용의 법칙)을 발표한 학자는?

① 아리스토텔레스(Aristotle) ② 레오나르도 다빈치(Leonardo da Vinci)
③ 갈릴레오(Galileo) ④ 뉴턴(Newton)

필수문제

68 다음 표에 들어갈 법칙을 바르게 나열한 것은?

> 뉴턴의 운동법칙의 예
> (㉠) : 버스가 급출발하거나 급정거할 경우 버스 안의 승객들이 뒤로 혹은 앞으로 쏠리는 것은 버스의 운동 변화와는 달리 승객들은 원래 운동상태를 유지하려고 한다.
> (㉡) : 보트를 타고 노로 물을 뒤로 밀면 배는 앞으로 간다.
> (㉢) : 자전거를 타고 페달을 강하게 밟을수록 자전거는 외력이 커져서 가속되면서 앞으로 간다.

① ㉠ 관성의 법칙 ㉡ 가속도의 법칙 ㉢ 작용반작용의 법칙
② ㉠ 가속도의 법칙 ㉡ 작용반작용의 법칙 ㉢ 관성의 법칙
③ ㉠ 작용반작용의 법칙 ㉡ 관성의 법칙 ㉢ 가속도의 법칙
④ ㉠ 관성의 법칙 ㉡ 작용반작용의 법칙 ㉢ 가속도의 법칙

■ 뉴턴의 운동법칙(pp. 48~49) 참조

정답 65 : ②, 66 : ①, 67 : ④, 68 : ④

69 다이빙 공중 동작을 할 때 신체의 좌우축에 대한 회전속도(각속도)의 크기가 가장 큰 동작으로 적절한 것은?(단, 각운동량(angular momentum)은 같음)

■ 각운동량이 일정하다는 가정하에서는 회전속도를 증가시키려면 회전반경을 짧게 해야 한다.

① 두 팔과 두 다리 모두 편 자세를 취할 때
② 두 팔과 두 다리를 동시에 몸통 쪽으로 모으는 자세를 취할 때
③ 두 다리는 편 상태에서 두 팔만 몸통 쪽으로 모으는 자세를 취할 때
④ 두 팔은 편 상태에서 두 다리만 몸통 쪽으로 모으는 자세를 취할 때

70 다이빙 공중회전 동작을 수행할 때 신체 좌우축(mediolateral axis)을 기준으로 회전속도를 가장 크게 만드는 동작으로 적절한 것은? (단, 해부학적 자세를 기준으로)

① 두 팔을 머리 위로 올리고, 머리를 뒤로 최대한 젖힌다.
② 신체를 최대한 좌우축에 가깝게 모으는 자세를 취한다.
③ 상체와 두 다리를 최대한 폄 시킨다.
④ 두 팔을 머리 위로 올리고, 두 다리는 최대한 곧게 뻗는 자세를 취한다.

■ **각운동량보존의 법칙** : 어떤 물체에 토크를 가해서 각운동을 시키다가 손을 떼어도 각운동량의 보존된다. 즉 새로운 토크를 작용시키지 않는 한 회전방향을 변경시킬 수 없다.
■ **각운동량의 전이** : 각운동량이 일정할 때 신체의 일부가 각운동량을 생성하면 그것을 신체의 나머지 부위가 보상하는 원리.
■ ①, ②는 각운동량 전이, ③은 각운동량 보존임.
■ ④ 높이뛰기에서 발구름을 할 때에는 반대 다리를 최대한 굽혀야 각운동량이 커진다.

필수문제

71 각운동량의 보존과 전이에 관한 운동 동작의 예시로 적절하지 않은 것은?

① 배구에서 공중 스파이크를 하기 전에 팔과 다리를 함께 뒤로 굽히는 동작
② 멀리뛰기에서 착지하기 전에 팔과 다리를 함께 앞으로 당기는 동작
③ 다이빙에서 공중회전을 할 때 팔을 몸통 쪽으로 모으는 동작
④ 높이뛰기에서 발 구름을 할 때 지지하는 다리를 최대한 구부리는 동작

■ 인체가 공중에 뜬 다음에는 회전방향을 바꿀 수 없으나 자세는 바꿀 수 있다. 자세가 바뀌면 관성모멘트가 바뀌고, 관성모멘트가 변하면 회전속도도 변한다.

심화문제

72 각운동량 보존의 법칙을 설명한 것이다. 맞는 것은?

① 인체가 공중에 뜬 다음에는 회전방향을 바꿀 수 없다.
② 인체가 공중에 뜬 다음에는 회전속도를 바꿀 수 없다.
③ 인체가 공중에 뜬 다음에는 신체분절을 회전시킬 수 없다.
④ 인체가 공중에 뜬 다음에는 관성모멘트를 바꿀 수 없다.

정답 69 : ②, 70 : ②, 71 : ④, 72 : ①

73 **배구경기에서 강력하게 볼을 스파이크하기 위해서 상체를 뒤로 젖혔다가 앞으로 힘차게 내리쳤더니, 하체도 저절로 뒤로 젖혔다가 앞으로 굽혀졌다. 이것을 설명하는 것은?**

① 각운동량 보존의 법칙
② 회전에너지 보존의 법칙
③ 각관성의 법칙
④ 각속도 일정의 법칙

■ 스파이크를 하려고 뛰어오를 때에는 각운동량이 없기 때문에 상체를 앞으로 회전시키면 하체도 앞으로 회전해야 서로 반대방향의 토크가 되어서 각운동량의 합이 0이 된다.

74 **운동 상황에서 운동량 보존과 전이에 대한 설명으로 옳지 않은 것은(공기저항을 무시함)?**

① 다이빙의 공중 동작에서 각운동량은 보존된다.
② 체조 도마의 제 2비약(도마 이륙 후 착지 전까지 동작)에서 상·하체 각운동량의 합은 일정하지 않다.
③ 축구의 인프론트킥에서 발끝 속도는 몸통의 각운동량이 하지로 전이되어 발생한다.
④ 높이뛰기에서 이륙 후 인체의 총 각운동량은 일정하다.

■ 인체가 공중에 떠 있을 때에는 힘을 작용시킬 수 없기 때문에 각운동량은 변하지 않는다.

필수문제

75 **운동 상황에서 구심력과 원심력에 대한 설명으로 옳지 않은 것은?**

① 해머던지기 선수는 원심력에 저항하기 위해 투척할 때 후경 자세를 취한다.
② 쇼트트랙 선수는 곡선주로에서 원심력을 줄이려고 왼손으로 빙판을 짚는 동작을 취한다.
③ 육상 선수는 곡선주로에서 원심력을 줄이기 위해 질주속도를 증가시킨다.
④ 벨로드롬 사이클 곡선주로에서 지면마찰력이 구심력으로 작용한다.

■ ③ 육상선수는 원심력을 줄이기 위해서 곡선주로에서 속도를 감소시킨다.
■ ④ 벨로드롬 사이클 경주에서 몸이 안쪽으로 기울어지는 것은 구심력 때문이다.

심화문제

76 **구심력과 원심력에 대한 설명이다. 옳지 못한 것은?**

① 구심력은 실제 힘이지만, 원심력은 가상의 힘이므로 아무런 운동도 일으키지 못한다.
② 구심력은 원의 중심방향으로, 원심력은 구심력의 반대방향으로 작용한다.
③ 질량에 비례한다.
④ 각속도의 제곱에 비례한다.

■ 구심력=원심력 $=mr\omega^2=mv^2/r$

정답 73 : ①, 74 : ②, 75 : ③, 76 : ①

필수문제

77 해머던지기에서 구심력과 원심력에 관한 설명으로 옳지 않은 것은?

① 7kg의 해머와 비교하여 14kg의 해머를 동일한 각속도로 회전시키려면 선수는 구심력을 두 배로 증가시켜야 한다.
② 직선으로 운동하려는 해머의 관성을 이겨내고 원형경로를 유지하려면 안쪽으로 당기는 힘이 요구된다.
③ 선수가 해머를 안쪽으로 당기는 힘을 증가시키면 해머도 선수를 당기는 힘을 증가시킨다.
④ 해머의 각속도를 두 배로 증가시키려면, 선수는 두 배의 힘으로 해머를 안쪽으로 당겨야 한다.

■**구심력** : 물체를 원운동시킬 때 원운동의 중심방향으로 잡아당기는 힘. $F=mv^2/r$ m:질량, v: 속도, r: 반지름
■**원심력** : 구심력의 반대. 물체를 원의 회전중심으로부터 멀리 벗어나게 하는 힘.

심화문제

78 다음 보기의 괄호 안에 들어갈 용어를 바르게 나열한 것은?

> 보기
> (㉠)은 원운동을 발생시키는 원인으로 원의 중심을 향한다. 반면에 (㉡)은 원운동을 하는 물체가 바깥쪽으로 벗어나려고 하는 경향을 나타내는 힘이다.

① ㉠ 구심력 ㉡ 원심력
② ㉠ 원심력 ㉡ 구심력
③ ㉠ 구심력 ㉡ 향심력
④ ㉠ 원심력 ㉡ 향심력

■원운동을 일으키려면 구심력이 필요하고, 원운동을 하면 원심력이 생긴다.

79 오토바이 경주에서 커브 길을 안전하게 돌 수 있는 방법과 거리가 먼 것은?

① 가능한 한 커브를 크게 돈다.
② 속도를 낮춘다.
③ 몸을 커브 안쪽으로 기울인다.
④ 팔을 머리 위로 쭉 뻗는다.

■팔을 머리 위로 쭉 뻗으면 더 쉽게 넘어진다.

정답 77 : ④, 78 : ①, 79 : ④

06 Chapter 일과 에너지

일과 일률

1 일

일이란	» 운동역학에서는 일을 "힘을 들여서 물체의 위치를 이동시키는 것'으로 정의함.
일의 단위	» 힘의 단위(N)×거리의 단위(m)=Nm(뉴턴미터)가 되지만, 영국의 물리학자 Joule을 기념하기 위해서 뉴턴미터를 **줄**이라 하고 약자로는 J를 쓴다. » 힘은 방향이 있는 벡터이지만 일은 방향이 없는 스칼라이다.
일의 계산	» 일(w)=힘(F)×거리(d) » 1J=1N×1m…1뉴턴(N)의 힘으로 1m 이동시킨 경우 » **정적 일** : 힘을 준 방향으로 움직인 경우 » **부적 일** : 힘을 준 반대방향으로 움직인 경우 » **원운동에서의 일**=구심력×이동거리(호의 길이) » **각운동에서의 일**=작용시킨 힘×호의 길이

2 일률

일률이란	» 일하는 빠르기, 즉 단위시간당 수행한 일의 양. 1초 동안 한 일의 양=일률
일률의 단위	» 일률의 단위는 **(일의 단위(J)÷시간의 단위(s))=J/s(줄퍼세크)**가 되지만, 영국의 물리학자 James Watt를 기념하기 위해서 줄퍼세크를 **왓트**라 하고 약자로는 W를 쓴다(1초 동안 1J의 일을 한 것=1W). » 일률을 영어로는 **파워**(power)라 하고, 파워를 번역할 때에는 **순발력**이라고 한다.
일률의 계산	$\text{일률}=\frac{\text{한 일의 양(w)}}{\text{걸린 시간(t)}}=\frac{F\times d}{t}=F\times v$ $1W=\frac{J}{t}$ (t : 소요시간, d : 이동변위, v : 속도)

에너지

1 에너지의 정의

에너지란	일을 할 수 있는 능력. 스칼라량.
에너지의 단위	J(줄)

2 에너지의 종류

위치에너지	» 높은 위치에 있던 물체가 바닥으로 떨어지면서 할 수 있는 일 » 바닥에서 높은 위치로 올려놓을 때 해주어야 하는 일 » 위치에너지(PE) = mgh (m : 질량, g : 중력가속도, h : 높이)
운동에너지	» 운동하던 물체가 정지하면서 할 수 있는 일 » 정지하고 있는 물체를 속도 v로 운동하게 만들 때 해주어야 하는 일 » 운동에너지(KE) = $\frac{1}{2}mv^2$ (m : 질량, v : 속도)
탄성에너지	» 용수철이 원래 모양으로 되돌아가면서 할 수 있는 일 » 원래 모양의 용수철을 변형시킬 때 해주어야 하는 일 » 탄성에너지(SE) = $\frac{1}{2}kx^2$ (k : 탄성계수, x : 변형된 크기)

역학적 에너지보존의 법칙

역학적 에너지란	가역적인 위치에너지, 운동에너지, 탄성에너지가 역학적(기계적)에너지이다.
역학적 에너지 보존의 법칙	위치에너지, 운동에너지, 탄성에너지는 형태를 바꾸어 다른 형태의 에너지가 될 수는 있지만, 없어지지는 않는 것
역학적 에너지의 계산	역학적 에너지=운동에너지($\frac{1}{2}mv^2$)+위치에너지(mgh) → 항상 일정

인체의 에너지효율

인체의 에너지 효율이란	인체가 소비한 에너지의 양과 역학적 일의 양과의 관계
인체의 에너지효율 계산	인체 에너지효율$=\frac{\text{역학적 일의 양}}{\text{소모한 에너지의 양}}$

필수 및 심화 문제

필수문제

01 일과 에너지의 관계를 설명한 것이다. 틀린 것을 모두 고르시오.

① 힘을 들여서 위치를 이동시키면 일을 했다고 한다.
② 일은 방향과 크기가 있는 벡터량이다.
③ 일은 '힘×힘의 방향으로 이동한 거리'로 계산한다.
④ 일의 단위에는 J, Nm, Kg중m 등이 있다.
⑤ 일반적으로 에너지를 소모하면 일을 할 수 있다.
⑥ 그러나 일을 해준다고 해서 반드시 에너지가 생기는 것은 아니다.
⑦ 일을 에너지로, 에너지를 일로 자유롭게 변환할 수 있는 것을 역학적 에너지 또는 보존에너지라고 한다.
⑧ 역학적 에너지에는 위치에너지, 운동에너지, 탄성에너지가 있다.
⑨ 음식물이 가지고 있는 에너지는 역학적 에너지의 일종이다.

■② 일은 대표적인 스칼라량이다.
■⑨ 음식물이 가지고 있는 에너지는 화학적 에너지의 일종이다.

심화문제

02 운동 상황에서 얻어진 물리량 중 단위가 다른 하나는?

① 야구에서 투수가 던진 공의 운동에너지
② 역도 인상에서 선수가 바벨을 들어 올린 일률(power)
③ 높이뛰기에서 지면반력이 인체에 가하는 역학적 인 일(work)
④ 장대높이뛰기에서 장대에 저장되는 탄성에너지

■일과 에너지는 단위가 같지만, 일률은 단위가 다르다.

03 일(work)과 일률(power)을 계산하는 공식 중 옳지 않은 것은?

① 일=(작용한 힘) × (힘 방향의 변위)
② 일률=일/시간
③ 일=(작용한 힘) / (힘 방향의 변위)
④ 일률=(작용한 힘)×(힘 방향의 속도)

■작용한 힘을 힘 방향의 변위로 나누면 아무것도 아니다.

04 역학적 일을 구하는 공식은?

① 일 = 작용한 힘 × 거리
② 일 = 작용한 힘 × 속도
③ 일 = 작용한 힘 × 가속도
④ 일 = 작용한 힘 × 토크

■일=작용한 힘×변위, 또는 일=작용한 힘×힘방향의 변위이다. 일률=힘×속도이다.

정답 01 : ②, ⑨, 02 : ②, 03 : ③, 04 : ①

05 그림과 같이 팔꿈치 관절을 축으로 쇠공을 들고 정적(static) 동작을 유지하기 위해서 위팔두갈래근(상완이두근, biceps brachii)이 발생시켜야 할 힘(F_B)의 크기는?

■ 정적동작(정적평형상태)을 유지하려면
· 물체에 작용하는 전체 힘의 수직성분의 합계가 0이 되어야 한다.
· 물체에 작용하는 전체 힘의 수평성분의 합계가 0이 되어야 한다.
· 모든 토크의 합이 0이 되어야 한다.
■ 문제에서 팔꿈치에 작용하는 쇠공의 무게(토크의 합) 때문에 발생하는 토크와 위팔두갈래근의 수축으로 발생하는 토크의 합이 0이 되어야 정적인 동작을 유지할 수 있다.
$(50N \times 0.2m) - (F_B \times 0.02m) = 0$
$F_B = \frac{10N}{0.02m} = 500N$

보기
» 손, 아래팔(전완), 쇠공을 합한 무게는 50N이다.
» 팔꿈치 관절점(E_J)에서 위팔두갈래근의 부착점까지의 거리는 2cm이다.
» 팔꿈치 관절점에서 손, 아래팔, 쇠공을 합한 무게중심(C_G)까지의 거리는 20cm이다.
» 위팔두갈래근은 아래팔에 90°로 부착되었다고 가정한다.

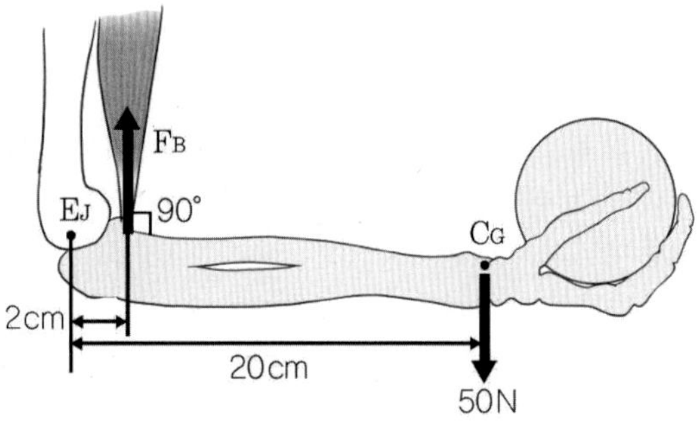

① 100N ② 400N ③ 500N ④ 1,000N

06 돌을 옮기려는데 너무 무거워서 지렛대를 이용해서 옮겼다. 틀린 것은?

■ 지렛대를 이용하더라도 사람이 일을 해야 한다.

① 한일=힘×힘팔의 길이×돌아간 각도
② 한일=저항×저항팔의 길이×돌아간 각도
③ 가와 나는 크기가 같다.
④ 지렛대를 이용했으므로 지렛대가 일을 했고, 사람은 일을 하지 않은 것이다.

07 100m 달리기 경기에서 80kg인 선수가 출발 3초 후 12m/s의 속도가 되었다면 달리는 방향으로 발휘한 평균 힘의 크기는?

■ 힘=질량×가속도
■ 가속도=속도변화량/시간=12/3=4
■ 힘=80kg×4=320N

① 240N ② 320N ③ 800N ④ 960N

08 체중 900N의 역도선수가 1,000N의 바벨을 들고 가만히 서 있었다면 바벨에 대한 일은 몇인가?

■ 일=힘×거리에서 거리가 0이다.

① 0J ② 25J ③ 50J ④ 100J

정답 05 : ③, 06 : ④, 07 : ②, 08 : ①

09 **농구선수가 20N의 힘으로 농구공을 수직으로 2 m 들어 올렸을 때 역학적 일(work)의 크기는?**

① 0 N·m (J) ② 10 N·m (J)
③ 22 N·m (J) ④ 40 N·m (J)

■ 일=힘×거리=N · m(J)
■ 20(N)×2(m)=40N · m(J)

10 **A, B 두 사람이 줄다리기를 했는데 A가 B에게 끌려갔다. 옳은 것은?**

① A는 양의 일을 했다.
② B는 음의 일을 했다.
③ 두 사람 모두 일을 하지 않았다.
④ 두 사람이 한 일은 '(B의 힘-A의 힘)×이동한 거리'이다.

■ 끌려간 사람은 음의 일, 끌고 간 사람은 양의 일을 한다. 두 사람이 한 일의 합은 ④와 같다.

필수문제

11 **어떤 물체에 200N의 힘을 가해 물체를 10초 동안 5m 이동시켰을 때 일률(power)은?(단, 힘의 작용방향과 이동방향은 일치함)**

① 100 Watt ② 400 Watt ③ 1,000 Watt ④ 10,000 Watt

■ $P=\frac{200N\times5}{10초}=100W$
■ 일률(p. 71) 참조.

심화문제

12 **일률(power)에 대한 설명으로 옳은 것은?**

① 단위 시간당 수행한 일(work)의 양이다.
② 질량과 가속도의 곱이다.
③ 단위는 N(Newton)이다.
④ 수행시간을 길게 하면 증가된다.

■ ②, ③은 힘에 관한 것이다. ④ 수행시간을 길게 하면 일률이 작아진다.

13 **일률(파워, power)에 대한 설명으로 옳은 것은?**

① 단위는 J(Joule)이다.
② 힘과 속도의 곱으로 구한다.
③ 이동거리는 고려하지 않는다.
④ 소요시간을 길게 하면 증가한다.

■ ① 일률의 단위는 W(와트), J/s, N · m/s
■ ③ 일률을 계산할 때 이동변위를 고려한다.
■ ④ 걸린 시간이 길면 일률이 감소한다.

14 **파워(power)에 대한 설명으로 옳지 않은 것은?**

① 단위 시간 당 수행한 일(work)의 양이다.
② 일의 빠르기를 나타내는 물리량이다.
③ 단위는 watt 혹은 Joule/s이다
④ 단위는 에너지의 단위와 같다.

■ 파워의 단위는 W(와트)이고, 에너지의 단위는 J(줄)이다.

정답 09 : ④, 10 : ④, 11 : ①, 12 : ①, 13: ②, 14 : ④

15 일률에 대한 설명이다. 틀린 것은?

■ 일하는 빠르기가 일률이다.

① 한 일의 총량을 일률이라 한다.
② '한일÷시간'으로 계산한다.
③ 단위는 와트(W) 또는 J/s이다.
④ 순발력이라고도 한다.

16 역학적 일의 강도에 대한 가장 좋은 지표이며 시간당 한 일을 나타내고, 순발력이라고 표현하기도 한다. 이것은 무엇을 설명하는가?

■ $\text{power}=\text{순발력}=\frac{\text{일}}{\text{시간}}$

① 힘
② 모멘트
③ 운동에너지
④ 파워

17 파워에 대한 설명이다. 틀린 것은?

■ 파워 = 힘×속도이므로 힘과 속도가 모두 커야 한다.

① 단위시간당 한 일의 양이다.
② 일하는 빠르기를 나타낸다.
③ 단위에는 마력이 있다.
④ 자신이 낼 수 있는 최대의 힘을 사용해야 파워가 가장 크다.

18 양궁선수가 활시위를 당겼다 놓아서 화살을 발사하였더니 날아가서 과녁에 꽂혔다. 에너지 손실을 무시할 때 그 변화로 옳은 것은?

■ 화살이 과녁에 꽂히는 것은 사람이 일을 한 것이다.

① 사람의 에너지→탄성에너지→일→운동에너지
② 사람의 에너지→일→탄성에너지→운동에너지
③ 사람의 에너지→운동에너지→탄성에너지→일
④ 사람의 에너지→탄성에너지→운동에너지→일

19 라켓으로 공을 쳐서 공을 빠르게 리턴할 수 있는 조건이 못되는 것은?

■ 공이 너무 빨리 날아오면 라켓이 뒤로 밀릴 수도 있다.

① 공의 반발계수가 커야 한다.
② 공과 임팩트하는 순간에 라켓의 속도가 빨라야 한다.
③ 임팩트하기 직전에 날아오는 공의 속도가 빨라야 한다.
④ 임팩트 직전 라켓의 운동량이 커야 한다.

20 라켓으로 공을 쳐서 가능한 한 빠른 속도로 공이 날아가게 하려고 한다. 옳지 않은 것은?

① 체중을 앞으로 이동시키면서 공을 친다.
② 팔을 충분히 뻗은 상태에서 공과 라켓이 임팩트되도록 한다.
③ 임팩트되는 순간 손목의 힘을 뺀다.
④ 라켓면에 수직하게 공이 맞도록 친다.

정답 15 : ①, 16 : ④, 17 : ④, 18 : ④, 19 : ③, 20 : ③

필수문제

21 다음 보기 중 괄호 안에 들어갈 용어와 공식을 바르게 나열한 것은?

보기
역학적 에너지 =(㉠) + (㉡) = (㉢) + 9.8mh = (㉣)

① ㉠ 위치에너지 ㉡ 운동에너지 ㉢ 일정 ㉣ $\frac{1}{2}mv^2$
② ㉠ 위치에너지 ㉡ 운동에너지 ㉢ $\frac{1}{2}mv^2$ ㉣ 일정
③ ㉠ 운동에너지 ㉡ 위치에너지 ㉢ $\frac{1}{2}mv^2$일정 ㉣ 일정
④ ㉠ 위치에너지 ㉡ 운동에너지 ㉢ 일정 ㉣ $\frac{1}{2}mv^2$

■ 역학적 에너지=운동에너지+위치에너지=일정=$½mv^2$+9.8mh

심화문제

22 보기의 다이빙 선수가 가지는 에너지의 변화에 관한 설명에서 ㉠, ㉡, ㉢에 들어갈 용어로 적절한 것은?

보기
플랫폼에서 정지하고 있는 선수의 (㉠)에너지는 0이고, 낙하할수록 (㉡)에너지는 감소하고, (㉢) 에너지는 증가하게 된다.

① ㉠역학적 ㉡위치 ㉢운동 ② ㉠운동 ㉡운동 ㉢역학적
③ ㉠운동 ㉡위치 ㉢운동 ④ ㉠운동 ㉡위치 ㉢역학적

■ 운동에너지 : ① 정지하면서 하는 일, ② 속도를 다시 v로 만들 때 해주어야 하는 일
■ 위치에너지 : ① 떨어지면서 할 수 있는 일, ② 원위치시킬 때 해주어야 하는 일

23 에너지에 관한 설명으로 옳지 않은 것은?

① 에너지의 단위는 Joule이다. ② 일을 수행할 수 있는 능력이다.
③ 운동에너지는 물체의 속도뿐만 아니라 질량과도 관계가 있다.
④ 위치에너지는 물체의 질량과는 관계가 있으나 높이와는 관계가 없다.

■ 위치에너지는 물체의 높이와 관계된다.

24 에너지를 계산하는 공식이다. 틀린 것은?

① 위치에너지 = mgh ② 운동에너지 = $(1/2)mv^2$
③ 탄성에너지 = $(1/2)kx^2$ ④ 열에너지 = 4.2m

■ 1cal = 4.2J 이므로 열에너지(cal)=한 일(J)÷4.2로 계산한다.

25 질량 m인 체조선수가 철봉 위에 물구나무서기 자세로 정지하여 있을 때 무게중심의 높이가 h였다. 이 선수가 대차돌기로 한 바퀴를 돈 다음 제자리에 똑 같은 자세로 정지하였다. 이 선수가 한 일은? (마찰은 무시한다.)

① mgh ② 0
③ 일을 하긴 했는데 계산할 수는 없다. ④ 1/mgh

■ 역학적 에너지가 그 형태만 변화한 것이다. 즉 위치에너지→운동에너지→위치에너지. 그러므로 일은 하지 않았다.

정답 21 : ③, 22 : ③, 23 : ④, 24 : ④, 25 : ②

26 **도르래에 100J(줄)의 일을 공급하여 도르래가 회전할 때 마찰로 인해 40J(줄)의 에너지를 열로 잃었고 출력된 일은 60J(줄)이다. 이때 도르래의 효율은 몇 %인가?**

■ $\frac{60}{100} = 0.6 = 60\%$

① 100% ② 60% ③ 40% ④ 0%

27 **트램펄린 위에서 점프 동작을 할 때 신체의 위치에너지에 대한 설명으로 옳은 것은? (단, 공기 저항은 무시함)**

■ 위치에너지는 점프한 높이에 따라 고저가 바뀐다.

① 위치에너지는 신체의 점프 높이에 상관없이 일정하다.
② 위치에너지는 신체가 트램펄린에 닿을 때 최대가 된다.
③ 위치에너지는 신체가 트램펄린에 근접할 때 최대가 된다.
④ 위치에너지는 신체가 수직으로 가장 높이 올라갔을 때 최대가 된다.

28 **스키점프 동작에서 이륙 후 역학적 에너지에 대한 설명으로 옳지 않은 것은(공기저항을 무시함)?**

■ 위치에너지는 높이에 비례한다.

① 역학적 에너지는 착지 직전까지 보존된다.
② 위치에너지는 수직 최고점에서 가장 작다.
③ 운동에너지는 착지 직전에 가장 크다.
④ 위치에너지는 수직 최고점에서 가장 크다.

필수문제

29 **그림의 장대높이뛰기에서 역학적 에너지의 변화 과정을 순서대로 나열한 것은?**

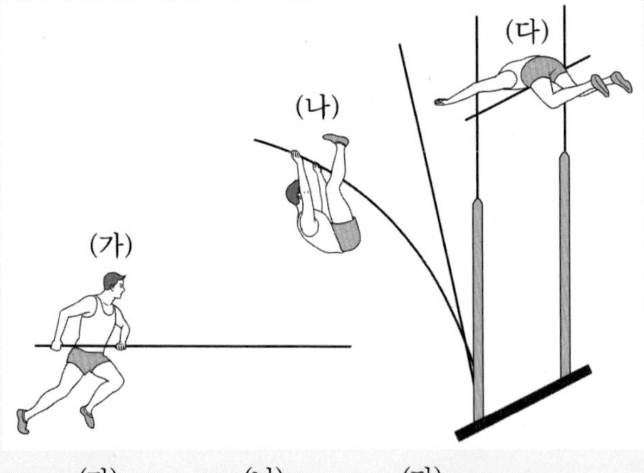

■ **운동에너지** : 정지하고 있는 물체를 일정한 속도로 운동하게 하는 일…(가) 구간
■ **탄성에너지** : 용수철이 원래 모양으로 되돌아가면서 할 수 있는 일…(나) 구간
■ **위치에너지** : 높은 곳에 있던 물체가 바닥으로 떨어지면서 할 수 있는 일…(다) 구간

	(가)	(나)	(다)
①	탄성에너지 →	운동에너지 →	위치에너지
②	탄성에너지 →	위치에너지 →	운동에너지
③	위치에너지 →	운동에너지 →	탄성에너지
④	운동에너지 →	탄성에너지 →	위치에너지

정답 26 : ②, 27 : ④, 28 : ②, 29 : ④

30 다음 중 운동, 탄성, 위치에너지가 모두 작용하는 종목으로 가장 적합한 것은?

① 높이뛰기 ② 단거리 달리기
③ 장대높이뛰기 ④ 멀리뛰기

■ 보기에서 탄성에너지와 관련있는 것은 장대높이뛰기밖에 없다.

31 가장 큰 역학적 에너지는?

① 7m/s로 평지를 달리고 있는 질량 90kg인 럭비선수의 운동에너지
② 8m/s로 평지를 달리고 있는 질량 100kg인 럭비선수의 운동에너지
③ 5m 높이에 서 있는 질량 50kg인 다이빙선수의 위치에너지
④ 4m 높이에 서 있는 질량 60kg인 다이빙선수의 위치에너지

■ **운동에너지** : $KE=½mv^2$
■ **위치에너지** : $PE=m \times 9.8m/s^2 \times h$
① $½90 \times 7^2=2,205kg \cdot (m/s)^2$
② $½100 \times 8^2=3,200kg \cdot (m/s)^2$
③ $50 \times 9.8 \times 5=2,450kg \cdot (m/s)^2$
④ $60 \times 9.8 \times 4=2,352kg \cdot (m/s)^2$

32 다음 설명 중 역학적 일과 거리가 먼 것은?

① 바벨을 머리 위에서 3초 동안 움직이지 않게 버티고 있었다.
② 바닥에 있는 바벨을 머리 위까지 올렸다.
③ 머리 위에서 바닥으로 바벨을 내려놓았다.
④ 바벨을 다시 바닥에서 가슴 높이까지 올렸다.

■ 일=힘×거리에서 제자리에 가만히 있다는 것은 거리=0이라는 말이다.

33 역학적 에너지가 아닌 것은?

① 운동에너지 ② 전기에너지
③ 중력에 의한 위치에너지 ④ 탄성에 의한 위치에너지

■ 운동에너지나 위치에너지는 보존되지만, 전기에너지는 한 번 써버리면 다시 전기에너지로 재생되지 않는다.

34 다음 중 역학적 에너지를 가지고 있지 않은 것은?

① 날아가는 탁구공
② 위로 쏘아올린 포탄이 정점에 도달했을 때
③ 바닥에 놓여 있는 무거운 바벨
④ 길게 늘어난 고무줄

■ ①은 운동에너지, ②는 위치에너지, ④는 탄성에너지를 가지고 있다.

35 소모한 에너지의 양에 대한 한 일의 비율을 무엇이라고 하는가?

① 순발력 ② 일률
③ 효율 ④ 탄성률

■ 순발력=일률=일하는 빠르기=일÷시간
■ 탄성률=충돌 후의 속도÷충돌 전의 속도
■ 효율=소모한 에너지÷한 일

정답 30 : ③, 31 : ②, 32 : ①, 33 : ②, 34 : ③, 35 : ③

07 Chapter

운동기술의 분석

동작분석

1 영상분석의 개요

장점	» 자신이 수행한 기술동작을 볼 수 있다. » 내가 기술동작을 수행하는 것과 다른 사람이 기술동작을 수행하는 것을 비교해서 차이점을 알 수 있다. » 같은 동작을 수없이 다시 볼 수 있다. » 간단한 측정만 해도 거리 · 각도 · 시간 등을 비교적 정확하게 알아낼 수 있다.
어려운점	» 목적이 모든 수단을 정당화시킴. » 목적 달성을 위해서는 수단과 방법을 가리지 않아도 된다는 위험성이 있음. » 행위의 결과를 정확하게 예측할 수 없기 때문에 행위를 할 당시에는 옳고그름을 판단할 수 없음. » 배분적 정의를 고려하지 못함.

2 영상분석의 종류

2차원 영상분석	촬영한 동작을 화면으로 보면서 분석하는 것 예 : 철봉의 회전 동작, 달리기 동작 등
3차원 영상분석	카메라로 동작을 촬영하여 분석하는 것. 예 : 여러 가지 운동동작

힘측정

1 힘측정이란

☞ 힘이 가해지면 물체가 변형되거나 이동하는 상태를 측정하는 것

☞ 누르는 힘(압력), 잡아당기는 힘(장력), 던지거나 때리는 힘, 비트는 힘 등을 측정한다.

2 힘측정방법

지면반력	힘을 측정할 수 있는 장치를 지면과 평평하게 설치한 다음 선수가 발로 지면을 밟을 때 얼마만큼의 힘으로 밟는지 측정하여 분석하는 것이다. » 선수가 지면을 밟는 전후 · 좌우 · 상하 방향의 힘을 알 수 있다. » 신체의 무게중심이 이동하는 것을 정확하게 알 수 있다. » 충격량, 에너지, 순발력 등도 계산해서 알 수 있다. » 지면을 발로 밟는 동작 이외의 동작이나 운동은 측정하기 어렵거나 부정확하다. » 영상분석과 함께해야 타이밍을 알 수 있다.
스트레인게이지	» 물체의 변형상태와 그 양을 측정하기 위하여 물체의 표면에 부착하는 게이지로, 전기식과 기계식이 있다.

근전도	» 근육이 수축할 때 근육과 신경에서 발생하는 미세한 활동전위 측정
보행분석	» 보행분석은 대부분 영상분석, 지면반력분석, 근전도분석을 동시에 할 수 있는 보행분석 시스템을 이용해서 한다. » 보행분석과 같이 여러 가지 분석을 동시에 수행할 때 가장 중요한 것은 **동기화**(synchronize)이다.

▶ 보행주기의 구분

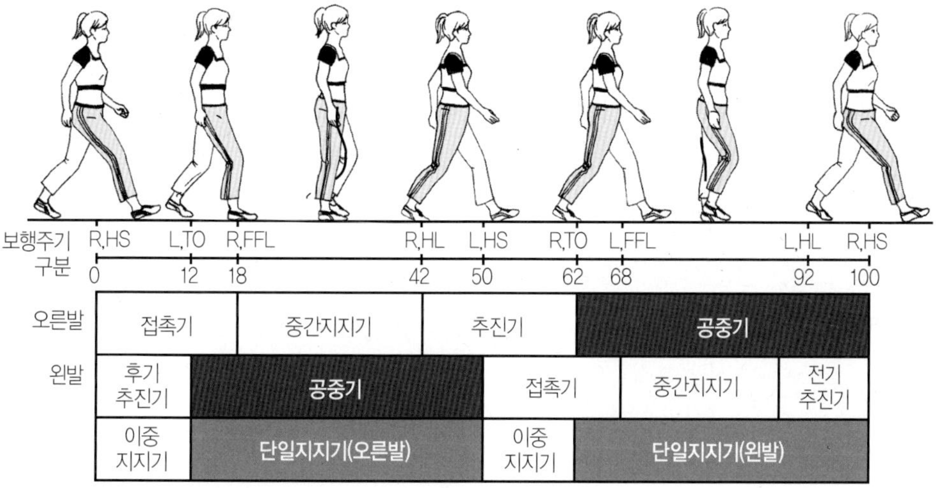

그림에서 R=right, L=left, H=heel, T=toe, S=strike, O=off, FFL=full forefoot load(발바닥 전체가 지면과 접촉)의 약자이다.

근전도분석

선수의 몸에 전극을 부착한 다음 선수의 근육이 활동할 때 생기는 생체전류를 포착해서 분석하는 것이다.

▶ 활용

ⓐ 기술동작에 동원되는 근육(주동근, 협력근, 대항근 등)을 알 수 있다.

ⓐ 근육이 동원되는 순서를 알 수 있다.

ⓐ 근육이 활동하는 정도와 발휘하는 근력을 어느 정도 짐작할 수 있다.

ⓐ 근육이 피로한 정도를 짐작할 수 있다.

▶ 단점

ⓐ 개인차가 너무 커서 선수 간에 직접 비교하기 어렵다.

ⓐ 분석하는 기술과 원리가 너무 어렵다.

ⓐ 정확하게 알 수 있는 것이 거의 없다.

ⓐ 영상분석과 함께해야 타이밍을 알 수 있다.

필수 및 심화 문제

필수문제

01 인체의 움직임을 카메라 등의 장비를 통해 기록하고 기록된 영상으로부터 인체 운동의 정보를 추출해 내는 분석 방법은?

■ 동작을 비디오나 카메라로 촬영해서 다시 보거나 분석하는 것이 영상분석이다.

① 가속도계 분석　② 영상 분석
③ 압력판 분석　④ 전자각도계 분석

심화문제

02 영상분석을 하는 목적과 거리가 가장 먼 것은?

■ 영상분석으로는 힘의 크기를 계산하기 어렵다.

① 근육이 발휘하는 힘의 크기를 알아보려고
② 신체 분절들의 활동상황을 알아보려고
③ 자신의 동작을 직접 관찰해보려고
④ 우수선수의 동작과 나의 동작을 비교해보려고

03 영상분석 장비로 산출할 수 있는 것은?

■ ①, ②, ③은 힘과 관련된 요소의 측정장비를 이용하여 산출할 수 있다.

① 지면반력의 수직성분　② 근력의 활성시점
③ 압력중심의 궤적　④ 가속도

04 선수의 경기력을 향상시킬 목적으로 선수의 동작과 세계적인 스타선수의 동작을 촬영하여 비교하는 것은?

■ 동작을 촬영하여 비교 · 분석하는 것은 영상분석이다.

① 영상분석　② 근전도분석
③ 지면반력분석　④ 경기분석

05 영상분석을 통해서 얻기 어려운 자료는?

■ 압력중심의 위치는 지면반력을 측정해야 알 수 있다.

① 신체중심의 이동속도　② 관절의 각도
③ 이동궤적　④ 압력중심의 위치

정답　01 : ②, 02 : ①, 03 : ④, 04 : ①, 05 : ④

필수문제

06 보기에서 운동학적(kinematics) 분석방법으로만 묶인 것은?

보기
㉠ 영상분석 ㉡ 고니오미터(goniometer) 각도 분석
㉢ 스트레인 게이지 힘 분석 ㉣ 지면반력 분석

① ㉠, ㉡ ② ㉠, ㉢ ③ ㉡, ㉣ ④ ㉢, ㉣

■ ㉠, ㉡은 동작분석, ㉢, ㉣은 힘분석

심화문제

07 영상분석에 관한 설명으로 옳지 않은 것은?

① 운동역학(kinetics)적 변인을 직접 측정할 수 있다.
② 2차원 영상분석은 평면상에서 관찰되는 운동을 분석하는 것이다.
③ 3차원 영상분석은 2대 이상의 카메라를 사용한다.
④ 동작의 정량적 분석이 가능하다.

■ 영상분석으로 운동역학적 변인을 직접 측정할 수 없다.

08 영상분석에서 사용하는 2차원과 3차원 분석법에 대한 설명 중 옳은 것은?

① 3차원 분석법에 요구되는 최소 카메라 수는 1대이다.
② 3차원 분석법은 2차원 분석법에서 발생하는 투시오차를 해결할 수 있다.
③ 체조의 비틀기 동작분석에서 2차원 분석법이 3차원 분석법보다 더 적절하다.
④ 2차원 분석법에서 하나의 인체 분절 정의에 필요한 최소 반사마커 수는 3개이다.

■ ① 3차원 분석을 하려면 카메라가 최소 2대는 있어야 한다. ③ 비틀기 동작은 2차원으로는 분석할 수 없다. ④ 2차원 분석에서 관절을 정의할 때에는 3개의 마커가 필요하고, 분절을 정의할 때에는 2개의 마커가 필요하다.

09 달리기 동작의 2차원 영상분석에 대한 설명으로 옳은 것은?

① 지면반력기를 사용한다.
② 반드시 2대의 카메라가 필요하다.
③ 2차원상의 평면운동을 분석하는 것이다.
④ 움직임의 원인이 되는 힘을 직접 측정하는 방법이다.

■ 2차원 영상분석은 같은 평면에서 일어나는 운동을 분석한다.

■ ① 지면반력은 지면반력기로 측정한다. ② 3차원영상 분석 시에 2대의 카메라가 필요하다. ④ 힘은 근전도분석, 지면반력분석으로 측정한다.

10 양궁경기에서 자세를 교정하기 위해서 세팅부터 릴리즈까지의 동작을 비디오로 촬영하여 분석하려고 한다. 옳은 것은?

① 촬영속도를 빠르게 하는 것이 중요하다.
② 손가락이 크게 나오도록 촬영하는 것이 중요하다.
③ 멀리서 망원렌즈를 이용해서 촬영해야 선수가 안심하고 동작을 수행할 수 있다.
④ 3대 이상의 카메라로 전신이 다 나오도록 촬영하는 것이 중요하다.

■ 자세교정을 하려면 영상을 이리저리 돌려가면서 전신을 볼 수 있도록 촬영해야 한다.

정답 06 : ①, 07 : ①, 08 : ②, 09 : ③, 10 : ④

11 영상분석을 하기 위해서 여러 대의 카메라로 촬영하는 이유는?

① 2D 데이터를 얻기 위해서
② 3D 데이터를 얻기 위해서
③ 신체의 상하 움직임도 관찰하기 쉽게 하려고
④ 거리와 시간을 정확하게 측정하기 위해서

필수문제

12 달리기 출발구간 분석에서 〈표〉의 ㉠, ㉡, ㉢에 들어갈 측정장비가 바르게 나열된 것은?

측정장비	분석 변인
㉠	넙다리곧은근(대퇴직근, rectus femoris)의 활성도
㉡	압력중심의 위치
㉢	무릎 관절 각속도

	㉠	㉡	㉢
①	동작분석기	GPS 시스템	지면반력기
②	동작분석기	지면반력기	지면반력기
③	근전도분석기	GPS 시스템	동작분석기
④	근전도분석기	지면반력기	동작분석기

■ 근전도분석기 : 근육이 수축할 때 근육과 신경에서 발생하는 미세한 활동전위 측정기.
■ 지면반력기 : 발로 지면을 밟을 때 밟는 힘 측정기.
■ 동작분석기 : 운동역학에서 활용도가 높은 인간 운동의 기본 구성요인인 동작을 다양한 방법으로 분석하는 것으로, 영상분석이 가장 많이 사용됨.

필수문제

13 역학실험 장비로 맨손 스쿼트(squat)동작을 분석하고자 한다. 다음에 제시된 분석변인과 관련된 측정장비의 순서가 바르게 나열된 것은?

측정장비	분석변인
㉠	무릎관절각, 엉덩관절각
㉡	압력중심궤적
㉢	넙다리네갈래근(대퇴사두근: quadriceps femoris)의 활성치

	㉠	㉡	㉢
①	지면반력기	동작분석기	근전도장비
②	동작분석기	동작분석기	근전도장비
③	근전도장비	지면반력기	동작분석기
④	동작분석기	지면반력기	근전도장비

■ ㉠ 관절각도는 사진을 찍어야 알 수 있고, ㉡ 압력중심은 지면반력을 측정해야 알 수 있다. ㉢ 근육의 활성도는 근전도를 기록해야 알 수 있다.

정답 11 : ②, 12 : ④, 13 : ④

필수문제

14 지면반력의 측정과 활용에 관한 설명으로 옳은 것은?

① 지면반력기는 수직 방향으로 작용하는 힘만 측정할 수 있다.
② 지면반력기에서 산출된 힘은 인체의 근력으로 지면에 가하는 작용력이다.
③ 높이뛰기 도약 동작분석 시 지면반력기에 작용한 힘의 소요시간을 측정할 수 있다.
④ 보행 분석에서 발이 지면에 착지하면서 앞으로 미는 힘은 추진력, 발 앞꿈치가 지면으로부터 떨어지기 전에 뒤로 미는 힘은 제동력을 의미한다.

■③ 지면반력을 측정하면 힘의 크기, 소요시간을 측정할 수 있다.
■① 지면반력기는 지면을 밟는 전후 · 좌우 · 상하 방향의 힘을 알 수 있다.
■② 지면반력기는 인체가 지면에 힘을 가할 때 지면에 발생한 반작용력(작용 · 반작용의 법칙에 의함)이다.
■④ 발앞꿈치가 지면에서 떨어지기 전에 뒤로 미는 힘은 추진력이다.

심화문제

15 걷기 동작에서 측정되는 지면반력(ground reaction force)에 대한 설명으로 옳지 않은 것은?

① 지면반력기로 측정할 수 있다.
② 발이 지면에 가하는 근력을 측정한 값이다.
③ 지면이 신체에 가하는 반력을 측정한 값이다.
④ 뉴턴의 작용-반작용 법칙으로 설명할 수 있다.

■지면반력은 발이 지면에서 가하는 힘의 세기를 측정한 값이다.

16 지면반력분석으로 알 수 없는 것은?

① 압력중심의 위치　② 수직지면반력의 크기
③ 다리근육의 파워　④ 무게중심의 위치

■무게중심의 위치는 영상분석을 해야 알 수 있다.

17 운동 상황에서 측정된 지면반력에 대한 설명 중 옳은 것은?

① 달릴 때와 걸을 때 최대 수직 지면반력의 크기는 항상 같다.
② 인체가 수평 정지 상태에 있으면 수직 지면반력의 크기는 몸무게와 항상 같다.
③ 전진 보행에서 뒤꿈치가 지면에 닿을 때 발생하는 전후 지면반력은 추진력이다.
④ 수직점프 할 때 반동동작은 수직 지면반력의 크기에 영향을 주지 않는다.

■① 지면반력은 달릴 때는 체중의 약 6배, 걸을 때는 약 3배이다.
■③ 추진력은 발가락으로 땅을 뒤로 밀 때 생긴다.
■④ 점프 시의 반동동작은 지면반력에 영향을 준다.

18 보행 동작에서 지면으로부터 보행자의 발에 가해지는 힘은?

① 근력(muscle force)　② 부력(buoyant force)
③ 중력(gravitational force)　④ 지면반력(ground reaction force)

■**지면반력** : 지면에 힘을 가했을 때의 반작용력

정답 14 : ③, 15 : ②, 16 : ④, 17 : ②, 18 : ④

19 지면반력분석이 아주 유용한 경우는?

■ 땅에 닿아야 지면반력이 생긴다.

① 보행 분석
② 철봉의 공중동작 분석
③ 몸통의 회전운동 분석
④ 어깨근육의 활동상황 분석

20 운동 상황에서 힘을 직접 측정하는 방법이 아닌 것은?

■ 영상분석으로는 힘을 측정할 수 없다.

① 영상분석 방법
② 스트레인 게이지(strain gauge) 측정 방법
③ 마찰력 측정 방법
④ 지면반력 측정 방법

21 여러 가지 측정장비를 이용해서 실험을 할 때 각 장비의 데이터 수집 시각을 정확하게 일치시키는 것은?

■ **동기화** : 작업들 사이의 수행시기를 맞추는 것. 사건이 동시에 일어나게 하거나 일정한 간격을 두고 일어나도록 시간 간격을 조정하는 것.

① 동기화
② 고정화
③ 함수화
④ 초기화

22 보행 시 왼발끔치에서 다음 번 왼발 착지 시 발꿈치까지의 거리는?

■ 보통 스트라이드라고 한다. 보폭의 2배이다.

① 보폭
② 2보폭
③ 족 간격
④ 보행속도

필수문제

23 근전도(electromyography: EMG) 검사와 평가에 대한 설명으로 옳지 않은 것은?

■ 신체분절의 위치는 X-ray 검사로 측정한다.

■ **근전도검사와 평가**
- 골격근의 수축으로 일어나는 근활동 전류를 유도해서 증폭을 기록한 것. 근수축효과의 말초적 표면 검사
- 근수축의 원인이 되는 운동신경계의 활동상황을 알 수 있다. 최근에는 미세전극을 근육에 꽂아 단일 신경근의 활동상황을 검사할 수도 있다.
- 자세를 유지하거나 특수한 신체운동을 시키는 골격근의 종류를 탐지할 수 있고, 눈의 근육이나 손가락운동과 같은 섬세한 근육의 활동 분석에도 이용할 수 있다.

① 근수축과 관련된 전기적 신호를 측정하는 것이다.
② 근전도 검사를 통해 신체 분절의 위치를 측정할 수 있다.
③ 근전도 검사에 사용되는 전극은 표면전극과 삽입전극으로 구분된다.
④ 근전도 신호의 분석을 통해 근 피로에 대한 정보를 일부 추정할 수 있다.

정답 19 : ①, 20 : ①, 21 : ①, 22 : ②, 23 : ②

심화문제

24 체육 분야에서 근전도 분석을 할 때 사용하는 전극은?

① 침전극 ② 가는 철사 전극
③ 표면전극 ④ 주사바늘

■ 선수에게 상처가 나면 안 되므로 표면전극을 사용해야 한다.

25 근전도 분석에서 수집되는 신호는?

① 역치전압 ② 활동전위
③ 신경임펄스 ④ 발휘되는 근력

■ 근육이 활동할 때 나오는 전압을 활동전위라고 한다.

26 근전도 신호를 통해 알 수 있는 정보로 올바른 것은?

① 근파워 ② 충격력
③ 압력중심궤적 ④ 근육의 동원순서

■ 근전도로는 힘을 정확하게 측정할 수 없다.

27 근전도(EMG)기에 대한 설명으로 옳은 것은?

① 지면반력을 측정한다.
② 운동학적 변인을 측정한다.
③ 근육의 수축을 유발하는 전기적 신호를 측정한다.
④ 압력의 변화를 측정한다.

■ 근전도기로는 근육의 수축을 유발하는 전기적 신호뿐만 아니라 근육의 수축하면서 생기는 전기적 신호도 측정한다.

28 근전도(electromyogram, EMG) 분석을 통하여 얻을 수 있는 정보로 옳지 않은 것은?

① 제자리멀리뛰기에서 장딴지근(비복근)의 최대 수축 시점
② 스쿼트에서 넙다리곧은근(대퇴직근)의 근피로도
③ 제자리높이뛰기에서 무게중심의 3차원 위치좌표
④ 팔굽혀펴기에서 위팔세갈래근(상완삼두근)의 근활성도

■ 무게중심의 이동은 지면반력분석으로 알 수 있다.

정답 24 : ③, 25 : ②, 26 : ④, 27 : ③, 28 : ③

■ 근전도에는 플러스와 마이너스가 뒤섞여 있고, 진폭이 클 때도 있고 작을 때도 있다. 진폭 변화로 근육의 활동시기, 활동지속시간, 활동강도 등을 알 수 있다.

29 근전도(electronyography, EMC) 신호에 관한 설명으로 옳은 것은?

① 신호의 분석을 통해 관절 각도를 측정할 수 있다.
② 측정 시간을 곱한 값을 선형 포락선(linear envelop)이라고 한다.
③ 진폭amplitude)과 근력과의 관계는 근육의 수축 형태와 상관이 없다.
④ 양과 음의 값을 모두 가지고 있다.

■ 같은 사람의 같은 근육일 경우에는 근전도의 진폭이 크면 근력을 크게 발휘하였다고 할 수 있지만, 다른 사람과 직접 비교는 안 된다.

30 나하고 철수하고 팔씨름을 하면서 근전도의 최대진폭을 측정했더니 나는 2mV, 철수는 3mV가 나왔다. 다음 중 옳은 것은?

① 나의 근력이 철수보다 세다.
② 철수의 근력이 나보다 세다.
③ 누구의 근력이 센지 알 수 없다.
④ 나와 철수는 근력이 같다.

■ **정량적 분석**
장비를 사용하거나 측정 또는 실험을 통해 동작 및 힘 관련 정보를 분석하여 구체적인 수치와 단위로 객관화시키는 것.
■ **정성적 분석**
· 활동이나 경기기술의 수행을 지도자가 눈으로 확인하여 움직임의 특성을 주관적 관점을 평가하는 것.
· 훈련이나 학습현장에서 즉각적인 피드백이 이루어질 수 있는 즉시성이 있음.

필수문제

31 보기의 ㉠, ㉡ 안에 들어갈 내용이 바르게 묶인 것은?

보기
(㉠)은 다양한 장비를 활용하여 동작 및 힘 정보를 수치화하고 분석하는 방법이다. (㉡)을 통해 객관적이고 정확한 정보를 획득할 수 있으며, 주관적인 판단을 배제할 수 있다.

	㉠	㉡
①	정성적 분석	정량적 분석
②	정량적 분석	정성적 분석
③	정성적 분석	정성적 분석
④	정량적 분석	정량적 분석

정답 29 : ④, 30 : ③, 31 : ④